국가 피부관리사 자습서

■

최정윤, 김서현 공저

머 리 말

현대 사회의 경제발전에 따른 생활수준의 향상은 사람들로 하여금 삶의 질 향상에 관심을 돌리게 하였다. 삶의 질 증진과 관련된 많은 욕구 중에서도 특히 아름답고 건강한 삶을 추구하고자 하는 욕구는 현대인에게 미의 중요성을 일깨워주었고 이는 미학 산업의 발달로 이어졌다. 그 중 각광받고 있는 산업 중 하나인 피부미용 산업은 단순히 얼굴 마사지에 그치는 것이 아니라 이용자의 요구에 따라 몸 전체를 아름답고 건강하게 관리해주고, 손상된 피부의 자연 회복을 돕는 역할을 한다. 이러한 피부미용 산업의 성장은 피부미용사 수요의 증가를 낳았고, 이로 인해 많은 대학에서 피부미용과가 신설되는 등 피부미용 분야는 날로 전문화, 세분화 되어 가고 있다.

본 교재에서는 국가 피부관리사가 피부 관리실 실무에 필요한 이론과 실습을 3개의 장으로 나누어 학생들이 단원별로 학습 할 수 있도록 구성하였다. 우선 첫 번째 장에서는 안면 관리를 위해 기초적으로 숙지하여야 할 안면 근육과 경혈점에 대한 지식부터 클렌징 동작과 마사지 동작을 사진과 함께 수록하여 학생들의 이해에 도움을 줄도록 구성하였다. 두 번째 장에서는 전신 피부미용에 필요한 이론인 근육도와 실습동작을 인체의 각 부분별로 나누어 함께 실어 인체의 근육과 전신 마사지에 대한 총체적 학습을 돕도록 구성하였다. 세 번째 장은 피부 미용학, 피부학, 미용 기기학 등과 관련된 지식을 실무와 연계하여 학습할 수 있도록 구성하였다.

실습이 필요한 실습과 실습 사이에는 학생들이 직접 메모를 할 수 있는 장을 수록하여 복습에 도움이 되도록 하였고, 단원과 단원 사이에 국가기술자격시험 피부미용사 기출문제를 수록하여 스스로 학습도와 실력을 점검할 수 있도록 하였다.

끝으로 교재 집필에 도움을 주신 분들과 출판사 디자이너 분들의 노고에 감사의 인사를 올리며, 이 교재로 공부하는 학생이 차세대 미용 산업을 이끌어갈 리더로 성장하는 데 도움이 되길 바란다.

2011년 2월

| 목차 |

CONTENTS

I 안면 관리

1. 안면 근육의 이해 ······ 3

2. 클렌징 ······ 9
   - 2.1 클렌징의 목적과 효과 ······ 9
   - 2.2 클렌징 제품의 종류 ······ 9
   - 2.3 포인트 메이크업 클렌징 동작 ······ 10
   - 2.4 클렌징 도포 동작 ······ 16
   - 2.5 클렌징 동작 ······ 18

3. 티슈, 해면, 습포, 화장수 사용법 ······ 28
   - 3.1 티슈 사용법 ······ 28
   - 3.2 해면 사용법 ······ 30
   - 3.3 습포 사용법 ······ 33
   - 3.4 화장수 사용법 ······ 39

4. 마사지 ······ 42
   - 4.1. 마사지란 ······ 42
   - 4.2 안면 경혈점 익히기 ······ 44
   - 4.3 안면 마사지 실습 ······ 48

5. 팩 ······ 58
   - 5.1 팩의 목적과 효과 ······ 58
   - 5.2 팩의 종류 ······ 58
   - 5.3 팩 사용법 ······ 64

6. 마무리동작 ······ 65

Ⅱ 전신 관리

1. 전신마사지의 이해 ······67
1.1 마사지의 효과 ······67
1.2 마사지의 종류와 분류 ······67
1.3 전신 마사지의 기본동작 ······69
2. 전신 근육의 이해 ······70
3. 등 관리 ······76
4. 다리 관리(앞면) ······85
5. 손, 팔 관리 ······104
6. 복부관리 ······108
7. 가슴 관리 ······114

Ⅲ 피부미용과 피부관리실의 이해

1. 피부미용의 개념과 역사 ······119
1.1 피부 미용의 개념 ······119
1.2 피부 미용의 역사 ······119
2. 피부 분석 및 상담 ······123
2.1 피부 관리실의 환경과 시설 조건 ······123
2.2 피부 분석 및 상담 ······124
2.3 고객 관리 방법 ······126
3. 미용기기의 이해 ······130
3.1 미용기기관리를 위한 기초이론 ······130
3.2 피부미용기기 종류 및 기능 ······131
4. 피부의 이해 ······148
4.1 피부 유형과 진단 방법 ······148
4.2 피부의 기능 ······154
4.3 피부의 구조 ······154

피부관리에 필요한 소모품

실험용라운드유니폼

시험용모델겉가운

시험용모델안가운

아이브러쉬

일반솜

보관통(컵형)

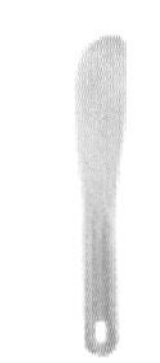
스파출라

바구니

눈썹칼

터번

절단솜(퍼프)

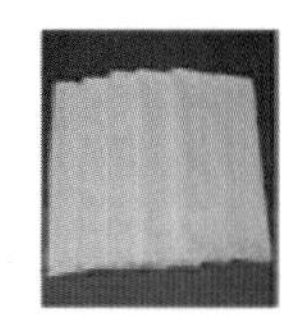
시험용타올중형

시험용타올소형

석고고무볼 2개

팩용 붓 (얼굴용, 바디용)
각각 1개씩

유리볼 중간것 3개

원형바트(솜통)

족집게

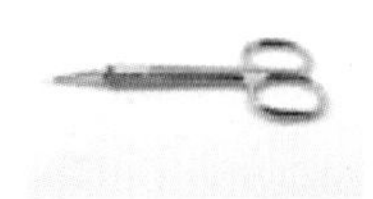

가위

쟁반

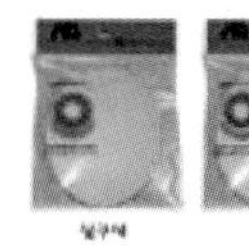

해면

자신이 사용하는
스킨, 로션, 아이크림, 영양크림, 썬크림

Ⅰ. 안면 관리

1. 안면 근육의 이해

1) 근육의 명칭과 역할

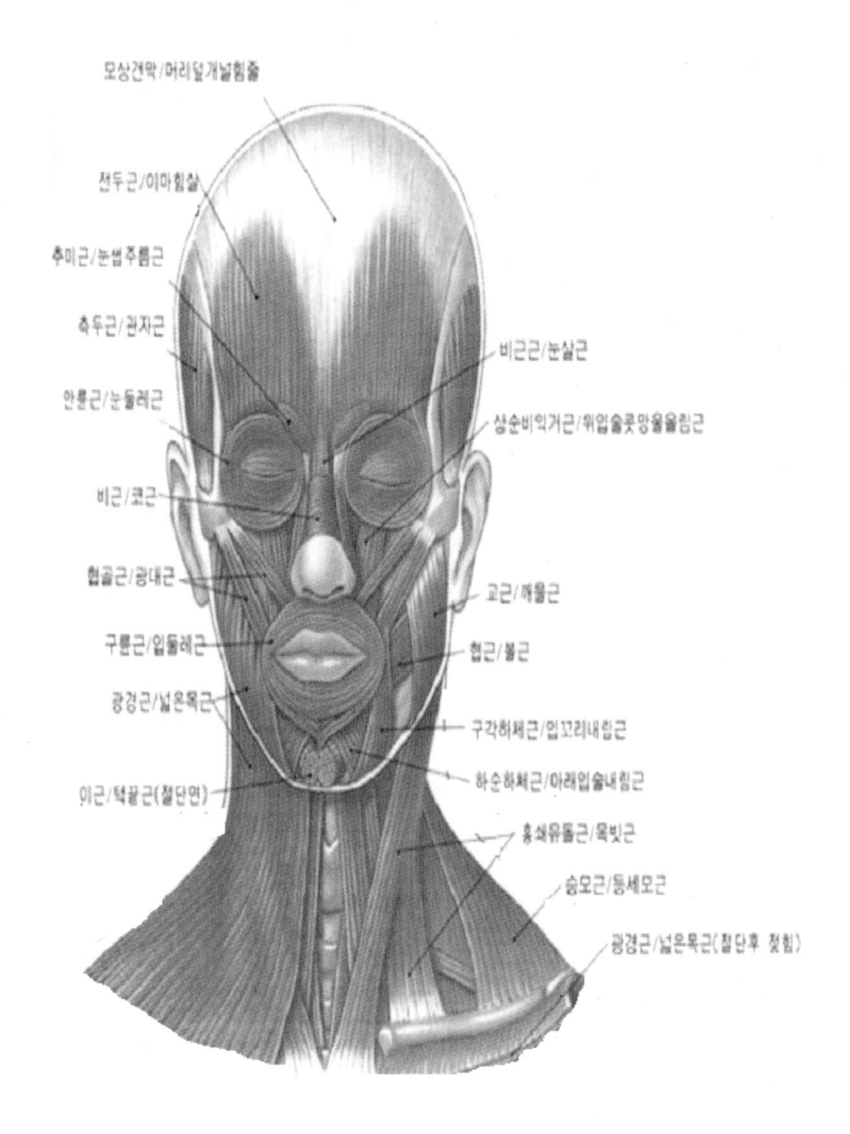

측면상

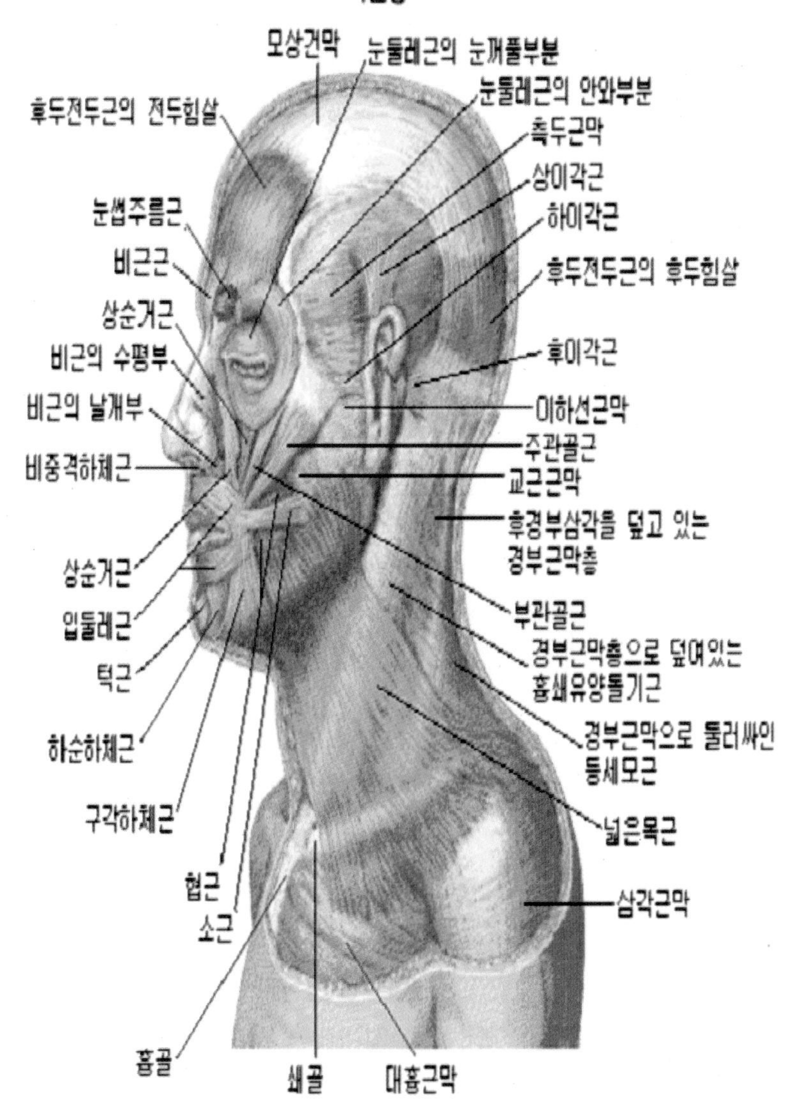

모상건막
눈둘레근의 눈꺼풀부분
눈둘레근의 안와부분
후두전두근의 전두힘살
측두근막
상이각근
하이각근
눈썹주름근
비근근
후두전두근의 후두힘살
상순거근
비근의 수평부
후이각근
비근의 날개부
이하선근막
주관골근
비중격하체근
교근근막
후경부삼각을 덮고 있는 경부근막층
상순거근
입둘레근
부관골근
턱근
경부근막층으로 덮여있는 흉쇄유양돌기근
하순하체근
경부근막으로 둘러싸인 등세모근
구각하체근
넓은목근
협근
삼각근막
소근
흉골
쇄골
대흉근막

두부의 근육 (Muscle of heed)

1.안면근(Facial muscle)

*안면근(orbicularis oculi): 눈을 감거나 깜박거릴 때 작용
*상안검거근(levator palpebrae superiors, 동안신경) 눈을 뜰 때
*구륜근(orbicularis oris): 입을 다무는 작용, 휘파람근
*협근(buccinator): 트럼펫근, 뺨의 근육을 수축함으로서 뺨을 내측으로 당겨 음식물을 씹을 때 사용되는 근육
*대협골근(zygomaticus major): 웃음근
*구각하체근(depressor labill inferioris): 슬픈 표정근
*소근(risorius): 보조개근
*추미근(corrugator supereilii): 미간 주름을 형성하는 작용
*턱끝근(이근): 아랫입술을 위로 올려 당겨 턱에 주름이 지는 작용

2. 저작근(Mastication muscl)

*기능: 음식물 저작

♥종류

♡교근(masseter): 하악골을 위로 당겨 턱을 닫게 한다.
♡측두근(temporalis): 하악골을 상, 후반으로 당겨 음식물을 씹는데 관여한다.
♡내측익돌근(pterygoideus medialis): 하악골을 상, 외측으로 당겨 음식물을 연마하는데 관여한다.
♡외측익돌근(pterygoideus lateralis): 하악골을 앞으로 당기며 턱을 열고, 음식물을 연마하는데 관여한다.

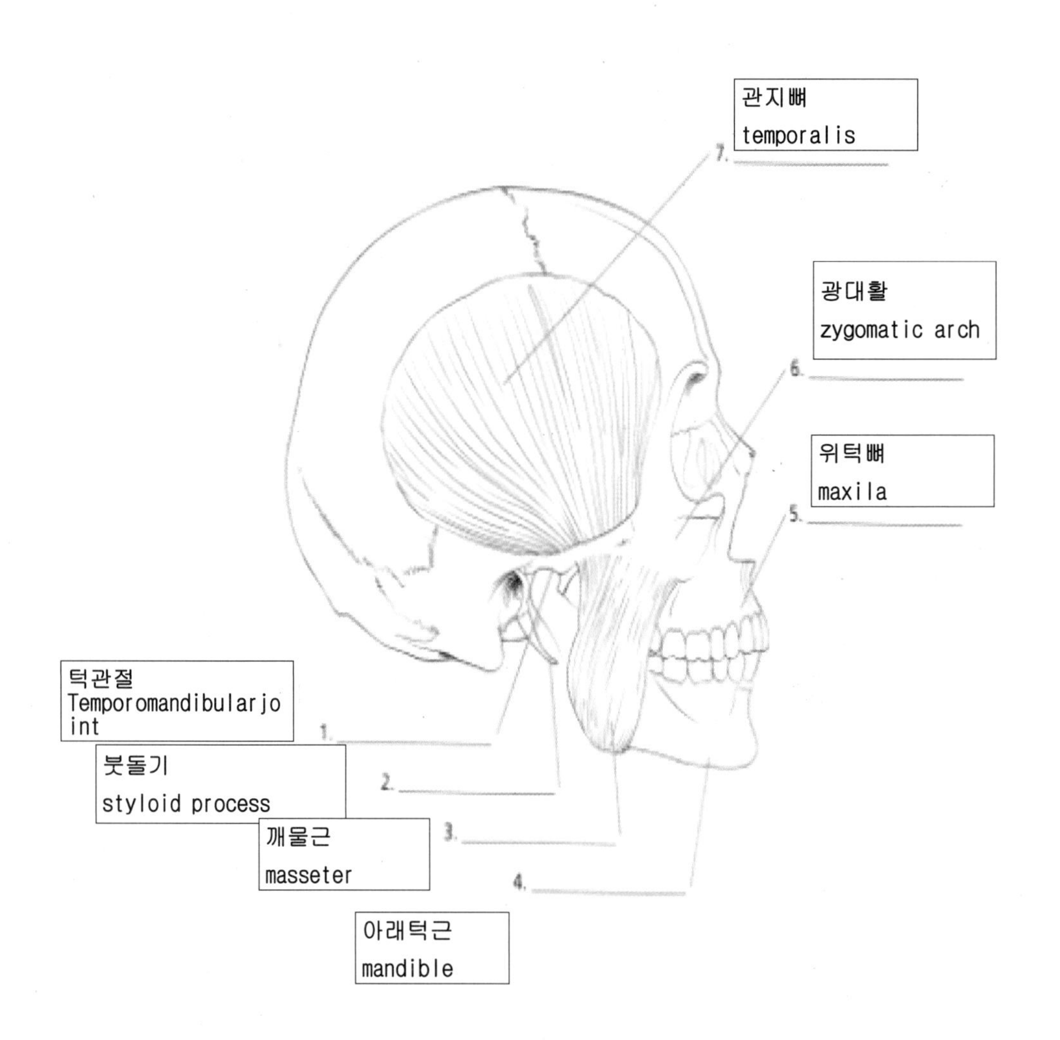
관지뼈
temporalis
7.
광대활
zygomatic arch
6.
위턱뼈
maxila
5.
턱관절
Temporomandibularjo
int
1.
붓돌기
styloid process
2.
깨물근
masseter
3.
4.
아래턱근
mandible

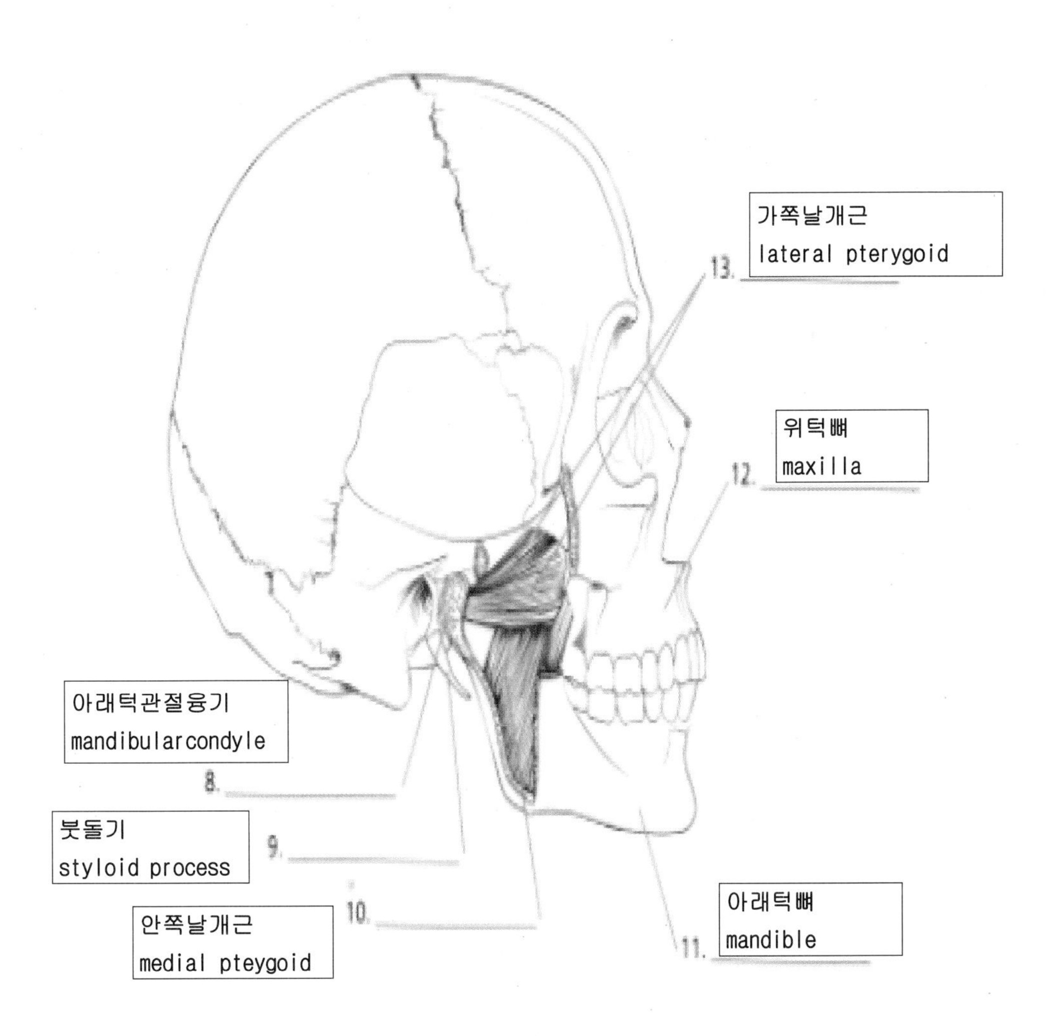
가쪽날개근
lateral pterygoid
13.
위턱뼈
maxilla
12.
아래턱관절융기
mandibularcondyle
8.
붓돌기
styloid process
9.
안쪽날개근
medial pteygoid
10.
아래턱뼈
mandible
11.

명 칭	역 할	명 칭	역 할
전두근	이마에 주름을 만든다.	추미근	눈썹을 내리고, 이마 주름
안륜근	눈을 감는 운동, 윙크, 눈물 흐르게	측두근	관자근, 모상건막 긴장 유지
비근근	코의 가로 주름, 눈썹 올림	상순비익거근	상순을 위로 당겨 콧구멍을 넓히고 코에 주름 만듦
상순거근	코옆 & 윗입술 당김근	비근	콧구멍 움직임근
소관골근	상순을 당겨 부정적 표정	구각거근	구각 올림근
대관골근	구각을 위로 당겨. 미소지음	교근	씹기근
구각거근	구각 올림근	협근	휘파람, 볼근육
소근	구각을 외방으로 당겨 볼에 보조개 형성	구륜근	입을 닫고, 입술을 오므림
구각하체근	구각(입꼬리) 내림근(슬픈 표정)	이근	아래턱 주름
하순하체근	아랫입술 내림근	광경근	아래턱 내림근, 신전근

2. 클렌징

2.1 클렌징의 목적과 효과

1) 클렌징의 목적
피부의 노폐물을 제거함으로써 신진대사를 원활하게 하여 건강한 피부상태로 만든다.

2) 클렌징의 효과
① 화장품의 유효성분들의 흡수를 도와준다.
② 혈액순환과 신진대사를 촉진시킨다.
③ 심리적, 정신적 청량감으로 상쾌한 기분전환
④ 피부조직의 자극으로 세포 재생을 돕는다.

2.2 클렌징 제품의 종류

1) 포인트 메이크업 리무버 : 눈, 입술 전용 클렌저로써 눈물과 비슷한 pH를 가져 눈에 자극이 없다. 유성 색조화장을 효과적으로 제거한다.

2) 클렌징 워터 : 액상타입의 세정용 화장수. 가벼운 화장을 지울 때 사용. 끈적임이 없다.

3) 클렌징 폼 : 거품형태의 클렌징으로 피부에 자극이 없다.

4) 클렌징 로션 : 물에 오일이 분산된 친수성 에멀션상태의 제품. 클렌징 크림에 비해 수분 함유량이 많아 물에 잘 용해되나 세정력이 비교적 떨어지므로 옅은 화장을 지울 때 적합하다. 건성, 민감성, 노화 피부타입에 적당하다.

5) 클렌징 크림 : 물에 오일이 분산된 친유성 크림상태의 제품이다. 피지분비가 많거나 유성 메이크업을 지울 때 적합하며 이중세안이 필요하다.

6) 클렌징 젤 : 유성과 수성의 두 가지 타입이 있다. 유성타입은 짙은 화

장을 깨끗하게 지워준다. 수성타입은 오일성분 없이 세정력이 우수하여 이중세안이 필요 없으며 옅은 화장을 지울 때 적합하다.

7) 클렌징 오일 : 물과 친화력이 있는 오일성분을 배합시킨 제품. 건성 피부, 노화 피부, 수분부족의 지성피부, 민감성 피부에 적당하다.

8) 클렌징 파우더 : 파우더 성분을 이루고 있는 천연 효소가 거품을 만들어 모공 속에 있는 노폐물을 자극 없이 제거한다. 전 피부 타입에 적합하다.

2.3 포인트 메이크업 클렌징 동작

① 눈 위, 입술에 화장솜 올려놓기

눈, 입술 전용 리무버를 묻힌 화장솜을 올려놓는다. 이때, 마스카라와 립스틱이 충분히 녹도록 충분히 밀착시켜 올려놓는다.

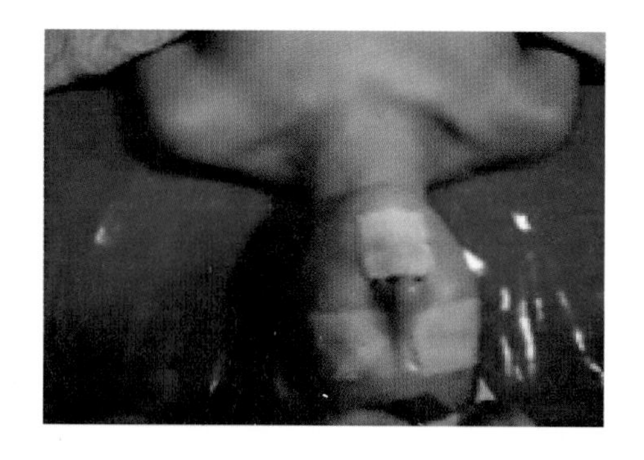

② 아이섀도 지우기

중지를 이용하여 아이섀도와 눈 아래를 안쪽에서 꼬리쪽의 방향으로 닦아낸다.

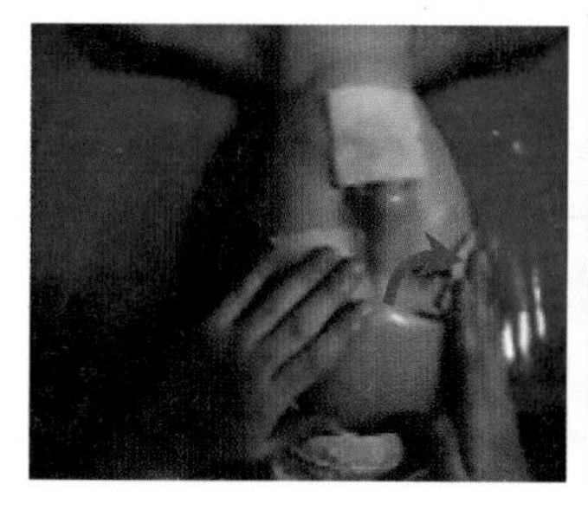
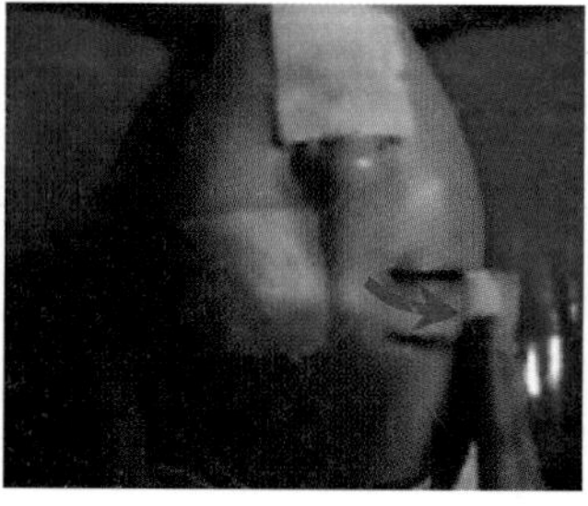
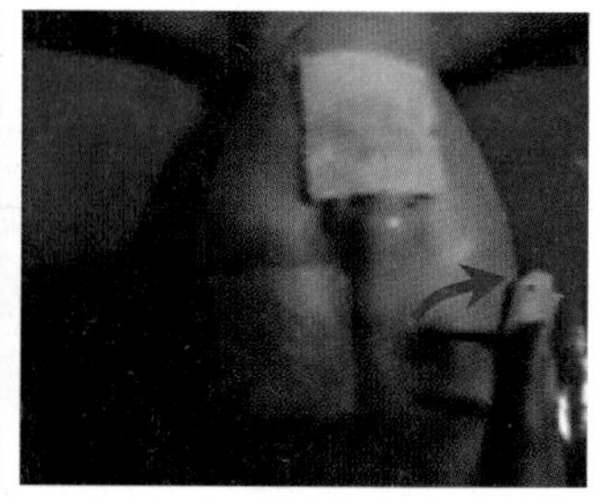

③ 눈썹 지우기

눈썹 머리에서 꼬리쪽의 방향으로 닦아낸다.

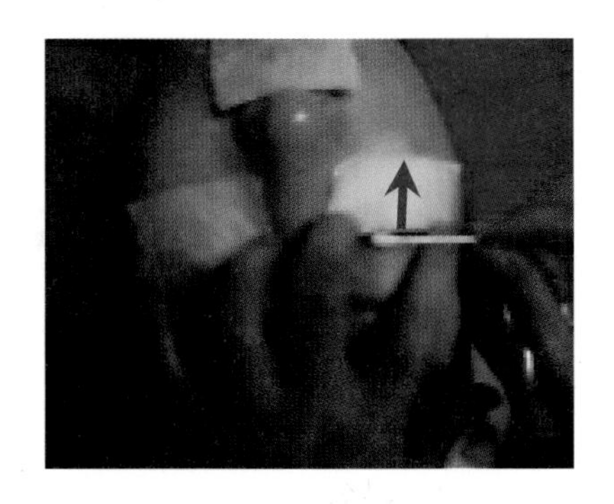

④ 마스카라 지우기

속눈썹 밑에 화장솜을 올려놓고, 면봉을 이용하여 쓸어내리듯 닦아낸다.

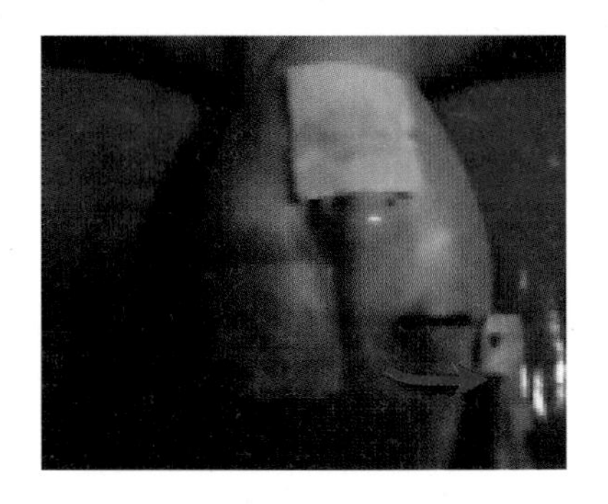

⑤ 아이라인 지우기

화장솜을 4등분으로 접고 안쪽에서 바깥쪽(꼬리쪽) 방향으로 세심하게 닦아 낸다. 면봉으로도 대체가 가능하다.

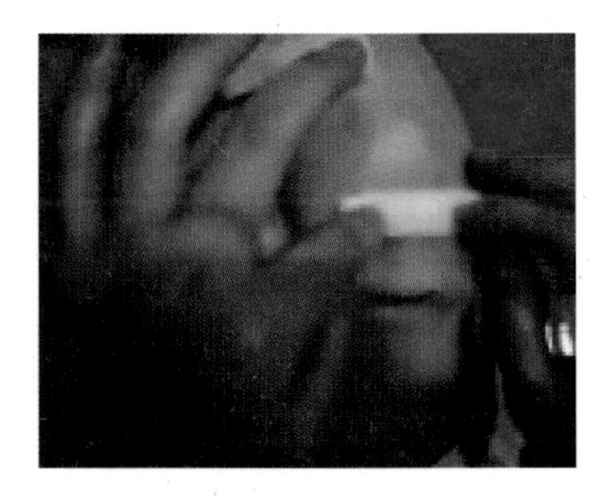

⑥ 입술 메이크업 지우기

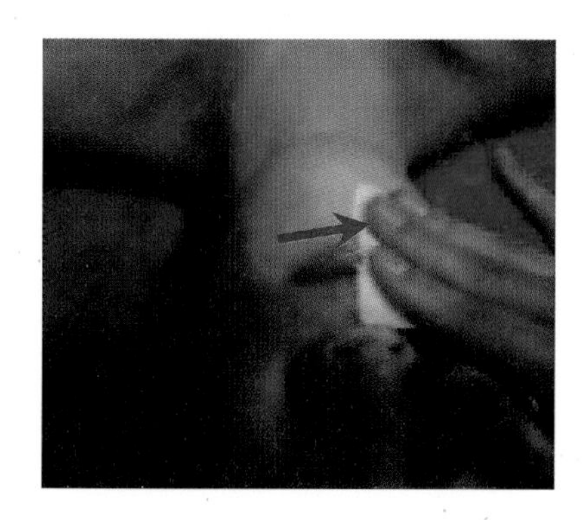

중지를 이용하여 가로로 닦아낸 후, 윗입술 아래 입술을 차례로 닦아낸다.

【실습 순서】

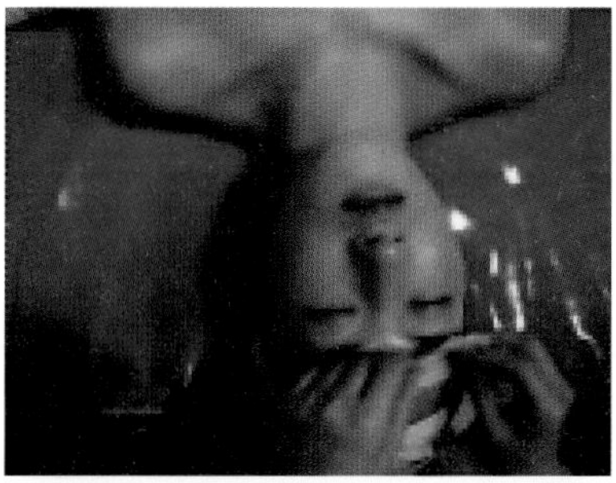

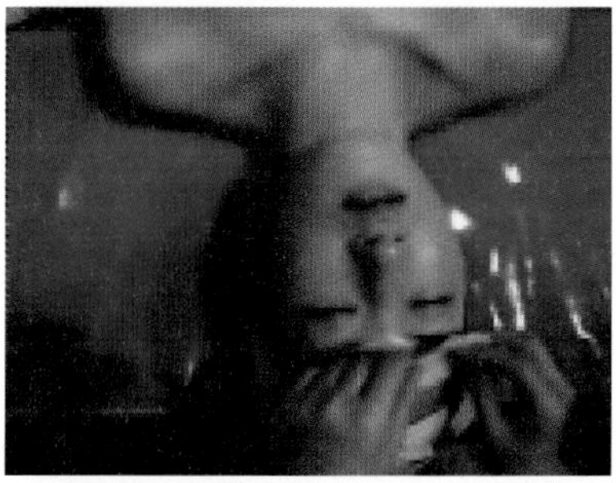

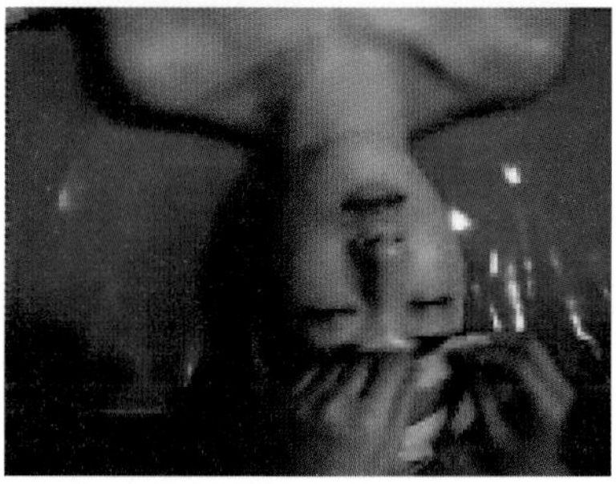

【 실 습　순 서 】

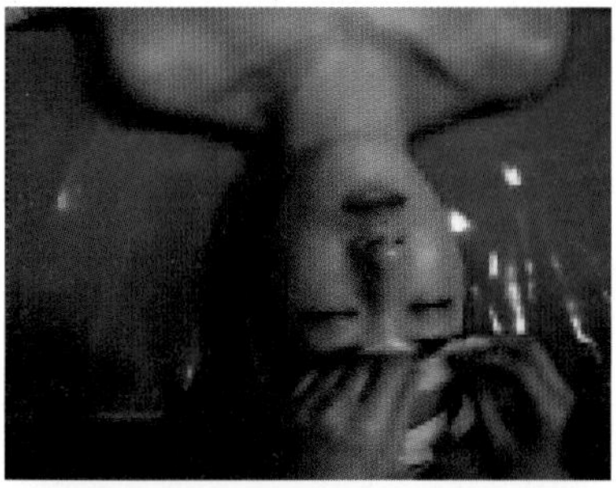

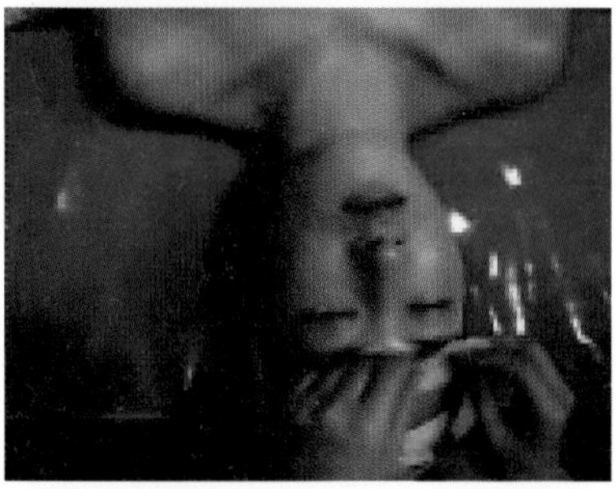

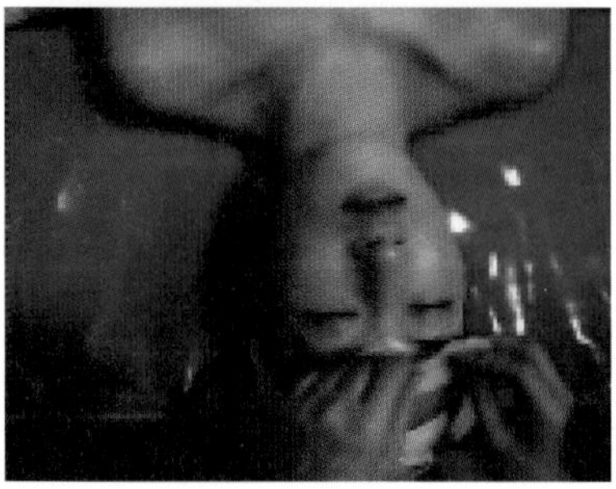

【실습 순서】

2.4 클렌징 도포 동작

① 뺨 도포하기

뺨을 이등분하여 아래쪽 1/2지점에 양손을 밀착하여 부드럽게 도포한다.

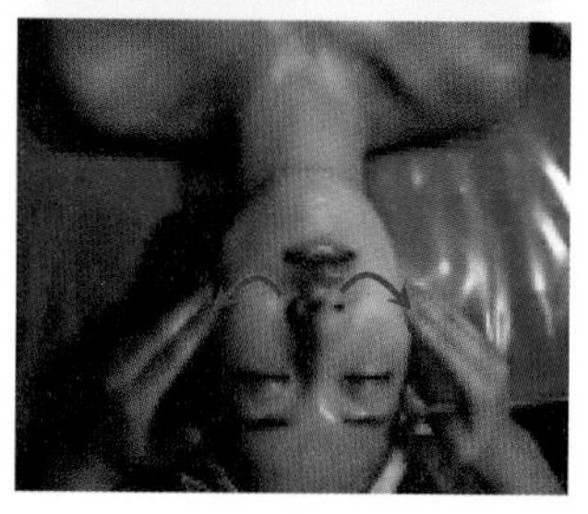

윗부분을 부드럽게 도포한다.

② 이마 도포하기

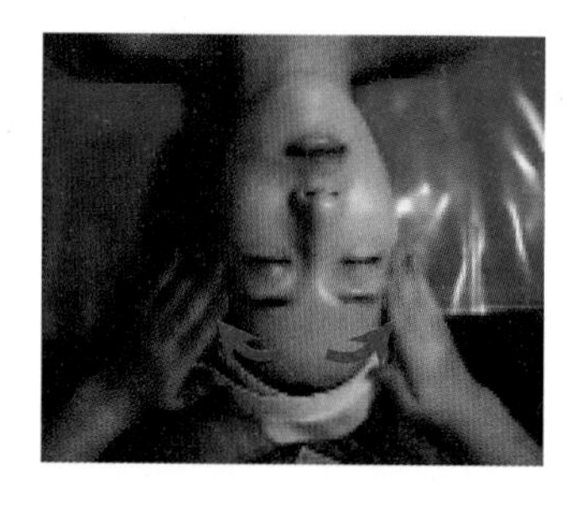

양 손을 이용하여 이마부터 관자놀이까지의 부분을 부드럽게 도포한다. 관자놀이 부근에 정지한다.

③ 코, 코등, 코벽 도포하기

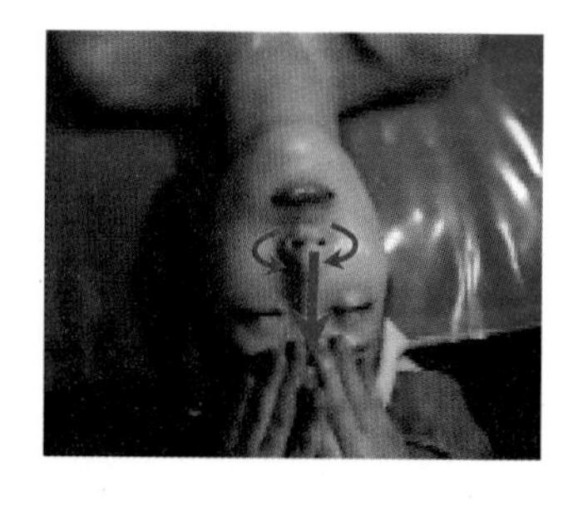

관자놀이에서 코로 둥글게 내려가서 콧등, 코벽, 눈썹 앞머리를 지나서 이마를 쓸어서 관자놀이에 정지한다.

④ 눈 아래 도포하기

눈 주위를 바깥쪽으로 원 그리기 한 후 관자놀이에서 8자로 마무리한다. (6회)

⑤ 코 아래 도포하기

엄지로 코 아래를 부드럽게 도포해준다.

⑥ 턱 도포하기

엄지로 턱을 도포해 준다.

⑦ 목, 가슴 도포하기

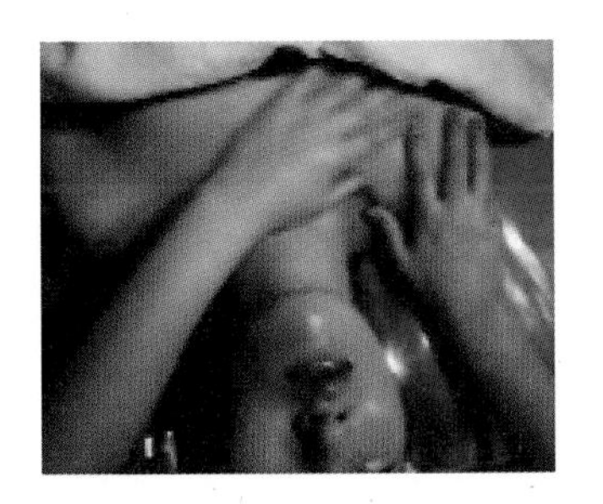

양 손을 어깨에 댄 후 한손씩 목과 가슴을 쓸어준다.

2.5 클렌징 동작

① 앞가슴 쓸어주기

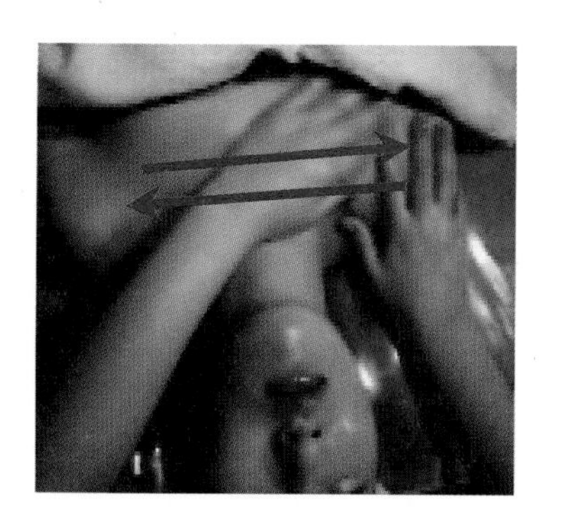

양 손을 어깨에 댄 후 한손씩 교대로 목과 가슴을 쓸어준다. 2회 반복한다.

② 목 쓸어 올리기

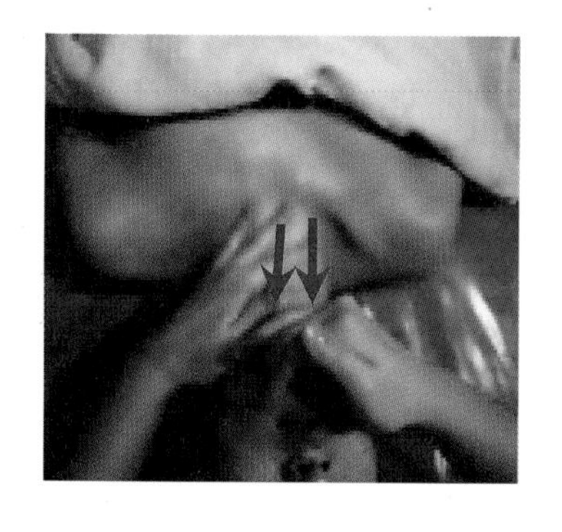

목 부위를 한쪽 측면에서 반대쪽 측면까지 쓸어 올린다.

③ 턱 쓰다듬기

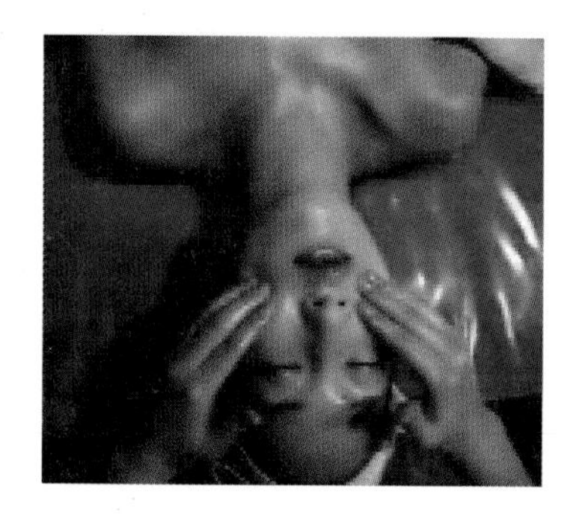

양쪽 볼을 지창에서 시작하여 관자놀이까지 원 그리기 동작을 2회 반복.

④ 볼 마찰하기

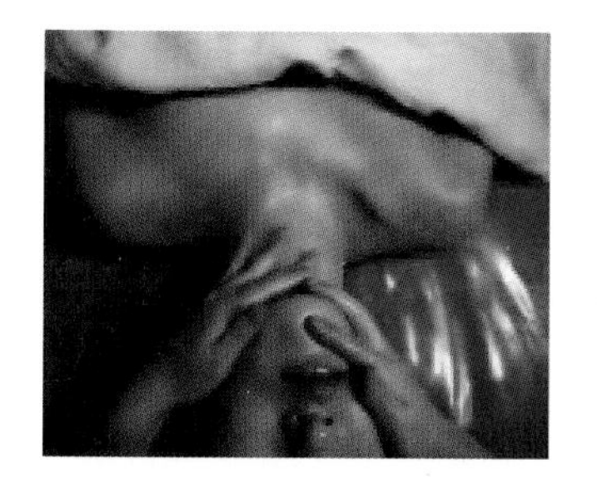

엄지로 눈 주위를 바깥쪽으로 원 그리기 한 후 관자놀이에서 8자로 마무리 5회

⑤ 눈 아래 쓸어주기

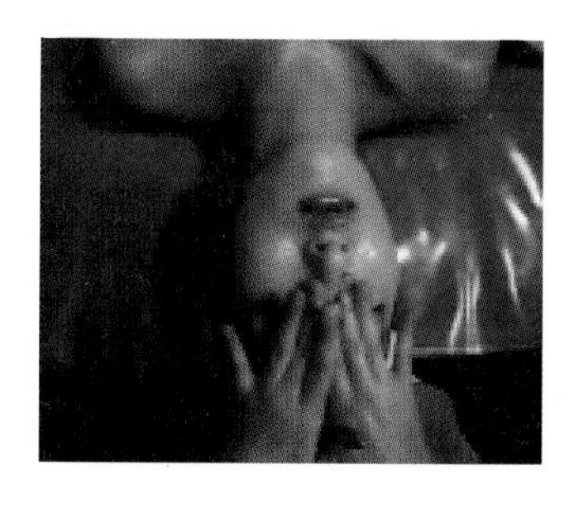

2,3,4,5번 손가락을 사용하여 이마 중간에서부터 바깥쪽으로 원을 그리는 동작을 8회 반복하여 유연하게 마찰해 준다.

⑥ 이마 수영방향으로 원 그리기

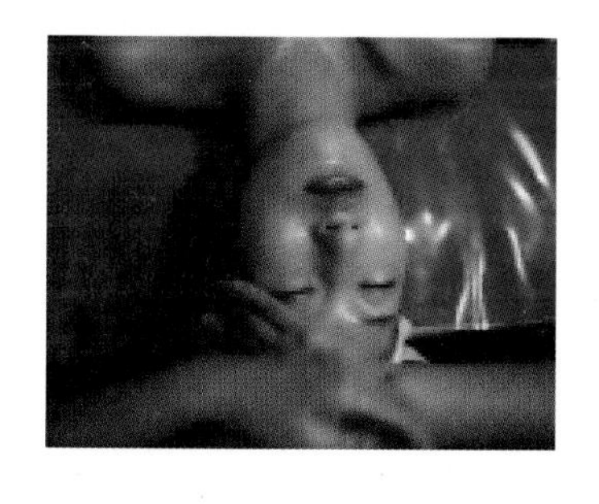

양 손을 관자놀이에 댄 후 한손씩 교대로 가로로 쓸어준다.

⑦ 이마 가로로 쓸어주기

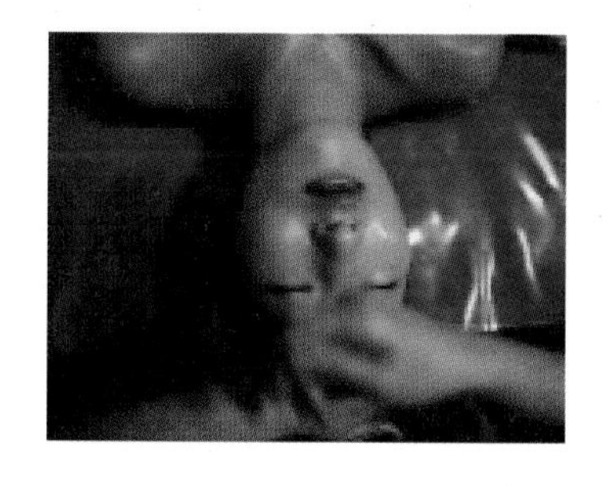

턱을 감싸 쥐고 중앙 부분에서 시작하여 귀 뒤 예풍까지 원 그리기 동작을 2회 반복

⑧ 턱 부위 문지르기

하악각 아래에 손을 고정하고 턱을 엄지로 쓸어준다.

⑨ 구륜근 부위 문지르기

엄지로 코 아래 부위와 턱을 교대로 쓸어준다. 4회 반복

⑩ 콧망울, 콧날개 문지르기

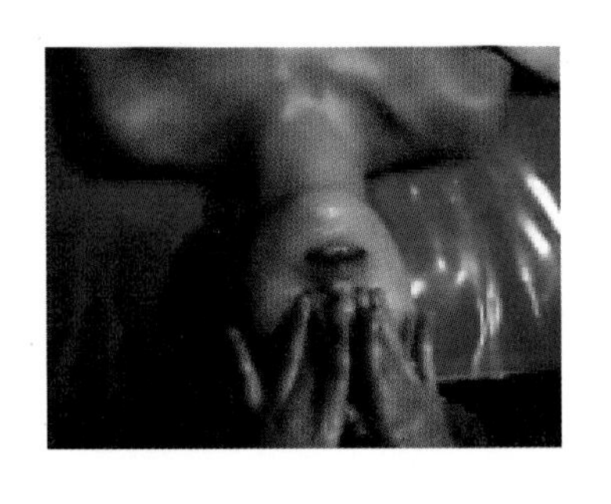

중지를 이용하여 콧망울, 콧날개를 원 그리듯이 문지른다. 이 때 코를 강하게 누르지 않도록 주의한다.

⑪ 콧등, 코벽 문지르기

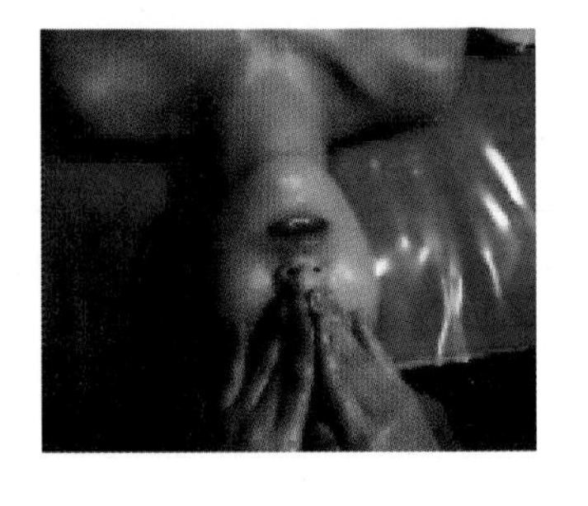

중지를 이용하여 콧등 5회 코벽 4회씩 쓸어준다. 콧망울을 강하게 누르지 않도록 주의한다.

⑫ 이마 쓸어주기

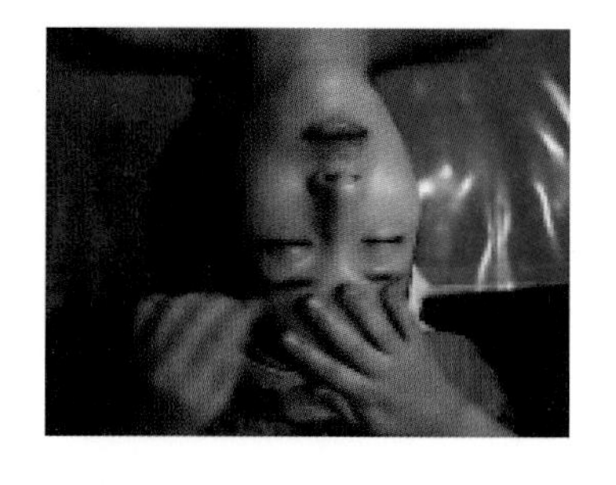

뺨 부분을 마찰해 주고 튕겨서 클렌징이 끝났음을 알려준다.

⑬ 얼굴 튕겨주기

오른손부터 교대로 세로로 쓸어준 뒤 가로로 쓸어준다. 4회 반복.

【실습 순서】

【실습 순서】

【실습 순서】

피부미용사 기출문제 - 클렌징

2010년

1. 딥클렌징의 분류가 옳은 것은?
   가. 고마쥐 - 물리적 각질관리
   나. 스크럽 - 화학적 각질관리
   다. AHA - 물리적 각질관리
   라. 효소 - 물리적 각질관리

3. 안면 클렌징 시술시의 주의사항 중 틀린 것은?
   가. 고객의 눈이나 코 속으로 화장품이 들어가지 않도록 한다.
   나. 근육결 반대방향으로 시술한다.
   다. 처음부터 끝까지 일정한 속도와 리듬감을 유지하도록 한다.
   라. 동작은 근육이 처지지 않게 한다.

6. 효소필링이 적합하지 않은 피부는?
   가. 각질이 두껍고 피부표면이 건조하여 당기는 피부
   나. 비립종을 가진 피부
   다. 화이트헤드, 블랙헤드를 가지고 있는 지성피부
   라. 자외선에 의해 손상된 피부

15. 클렌징 순서가 가장 적합한 것은?
   가. 클렌징손동작 → 화장품제거 → 포인트메이크업 클렌징 → 클렌징제품도포 → 습포
   나. 화장품제거 → 포인트메이크업클렌징 → 클렌징제품도포 → 클렌징손동작 →습포
   다. 클렌징제품도포 → 클렌징손동작 → 포인트메이크업클렌징 → 화장품제거 → 습포
   라. 포인트메이크업클렌징 → 클렌징제품도포 → 클렌징손동작 → 화장품제거 →습포

2009년

7. 클렌징에 대한 설명이 아닌 것은?
   가. 피부의 피지, 메이크업 잔여물을 없애기 위해서이다.
   나. 모공 깊숙이 있는 불순물과 피부표면의 각질의 제거를 주목적으로 한다.
   다. 제품흡수를 효율적으로 도와준다.
   라. 피부의 생리적인 기능을 정상적으로 도와준다.

2008년

12. 딥클렌징 시 스크럽 제품을 사용할 때 주의해야 할 사항 중 틀린 것은?
   가. 코튼이나 해면을 사용하여 닦아낼 때 알갱이가 남지 않도록 깨끗하게 닦아낸다.
   나. 과각화된 피부, 모공이 큰 피부, 면포성 여드름피부에는 적합하지 않다.
   다. 눈이나 입 속으로 들어가지 않도록 조심한다.
   라. 심한 핸드링을 피하며, 마사지 동작을 해서는 안된다.

14. 딥클렌징의 효과에 대한 설명이 아닌 것은?
   가. 피부표면을 매끈하게 한다
   나. 면포를 강화 시킨다
   다. 혈색을 좋아지게 한다
   라. 불필요한 각질세포를 제거 한다

15.포인트 메이크업 클렌징 과정시 주의할 사항으로 틀린것은?
   가. 콘택트렌즈를 뺀 후 시술한다
   나. 아이라인을 제거시 안에서 밖으로 닦아낸다
   다. 마스카라를 짙게 한 경우 강하게 자극하여 닦아낸다
   라. 입술화장을 제거시 윗입술은 위에서 아래로, 아랫입술은 아래에서 위로 닦는다

16.딥클렌징에 대한 설명으로 틀린 것은?
   가. 스크럽 제품의 경우 여드름 피부나 염증 부위에 사용하면 효과적이다

나. 민감성 피부는 가급적 하지 않는 것이 좋다
다. 효소를 이용할 경우 스티머가 없을시 온습포를 적용할 수가 있다
라. 칙칙하고 각질이 두꺼운 피부에 효과적이다

17. 일반적인 클렌징에 해당되는 사항이 아닌 것은?
가. 색조화장 제거
나. 먼지 및 유붕위 잔여물 제거
다. 메이크업 잔여물 및 피부표면의 노폐물제거
라. 효소나 고마쥐를 이용한 깊은 단계의 묵은 각질 제거

3. 티슈, 해면, 습포, 화장수 사용법

3.1 티슈 사용법

티슈 접는 법

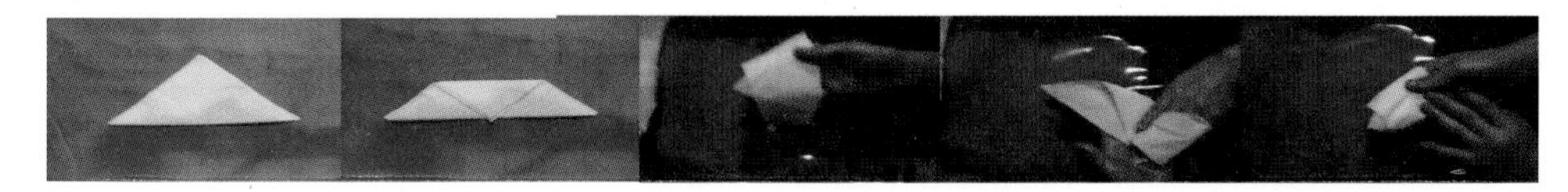

티슈사용법

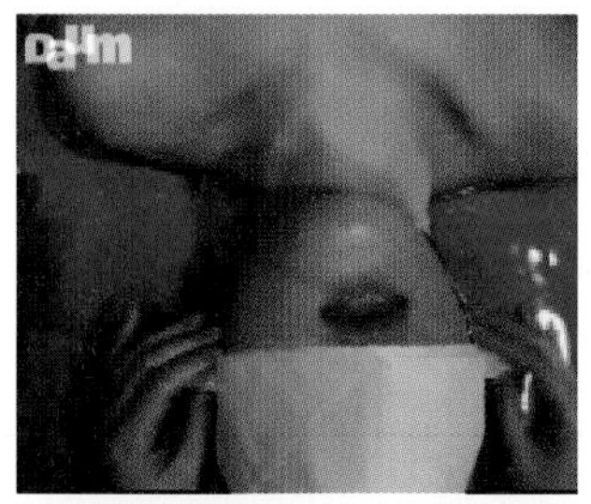

티슈를 삼각형으로 접어 가볍게 눌러 닦는다. 이 때 콧구멍을 덮지 않도록 주의한다.

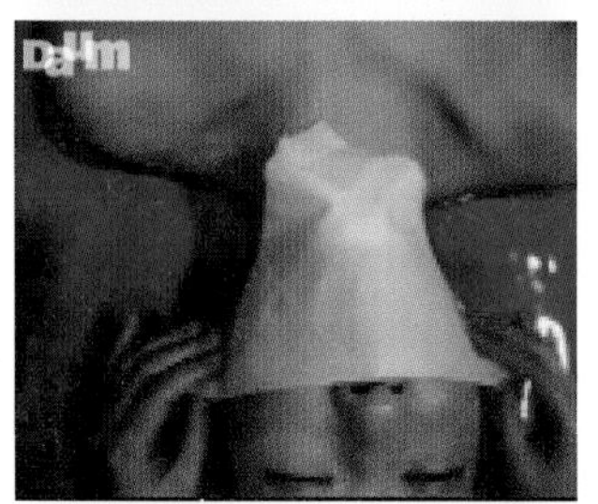

티슈의 왼쪽 모서리를 고정하고 반대로 돌려 얼굴 아래 부분을 눌러서 닦아준다.

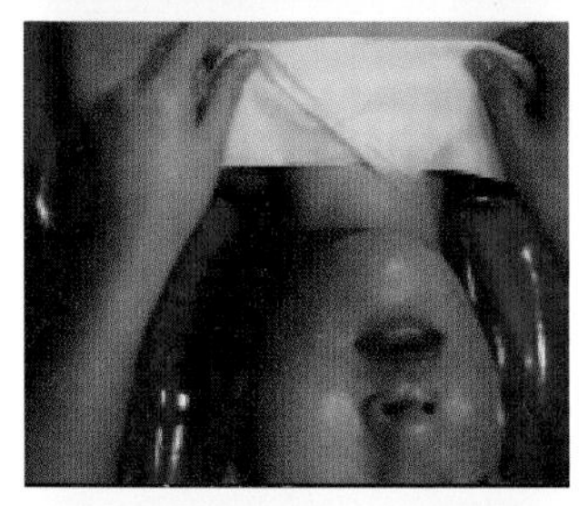

티슈를 앞가슴과 목 부위에 걸쳐 가볍게 누른다.

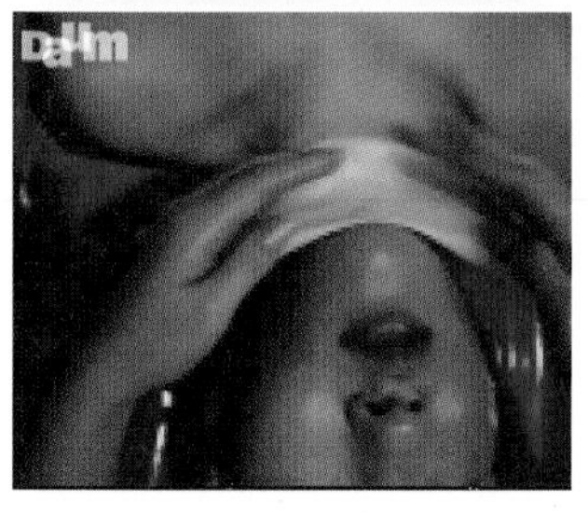

티슈를 반대로 하여 반대편을 가볍게 눌러 닦아준다.

【실습 순서】

3.2 해면 사용법

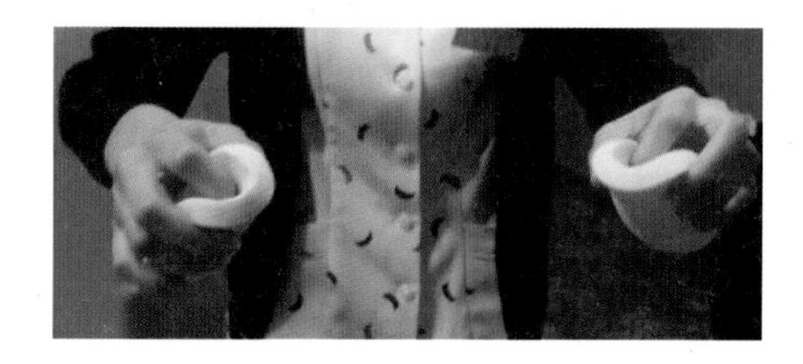

양 손의 집게손가락과 새끼 손가락 사이에 젖은 해면을 끼운다.

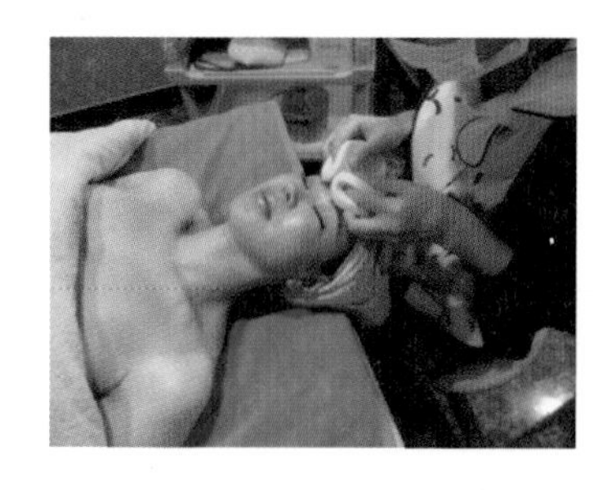

눈 부위 닦기
해면을 이용해 눈 부위를 안에서 바깥 방향으로 닦아낸다.

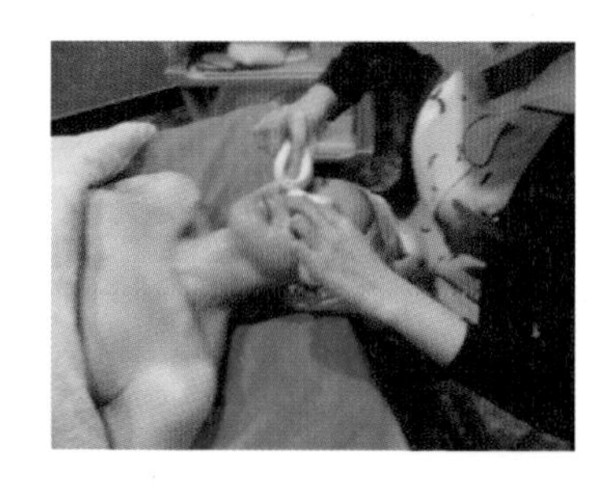

이마 닦기
안에서 바낕쪽 방향으로 닦아낸다.

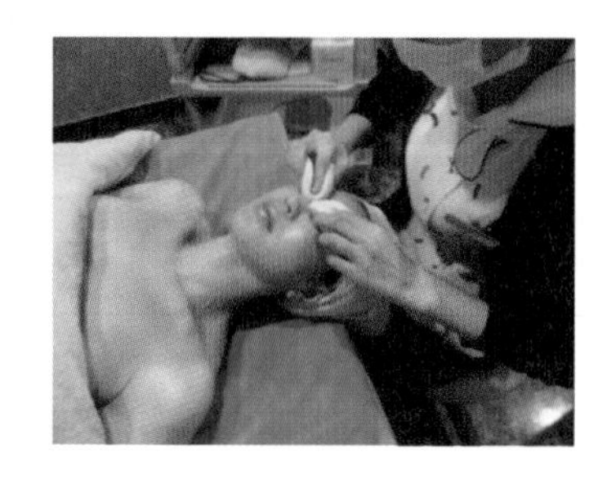

볼 부위 닦기
볼 부위를 안에서 바깥쪽 방향으로 닦아낸다.

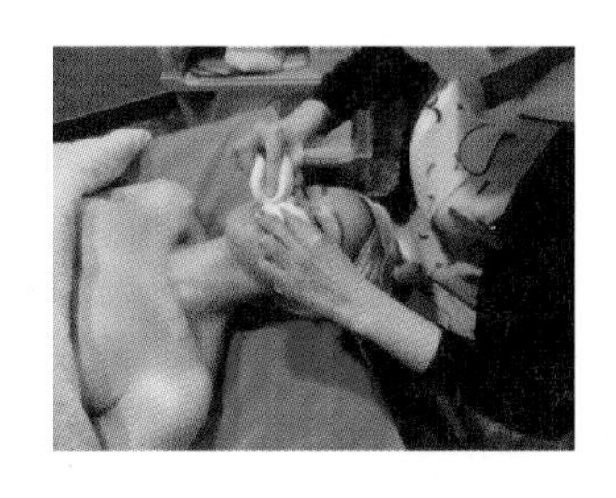

코 주위를 세부적으로 닦아낸다.

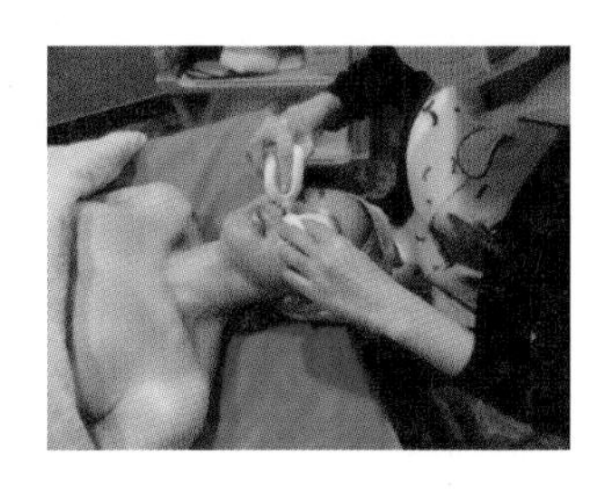

콧등을 세 부분으로 나누어 닦아낸다.

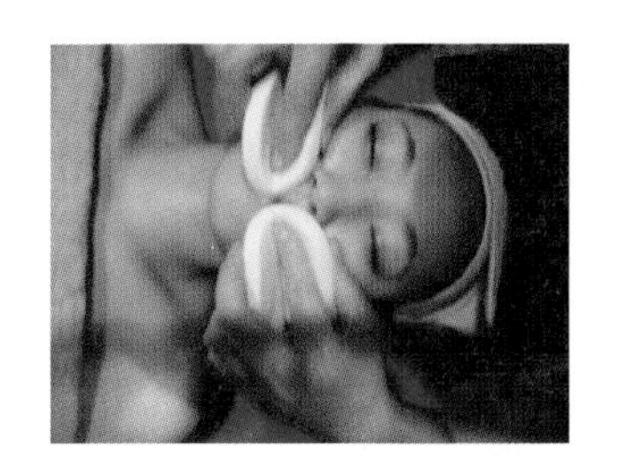

입술
해면의 깨끗한 면으로 입술 부분을 결을 따라 교대로 닦아준다.

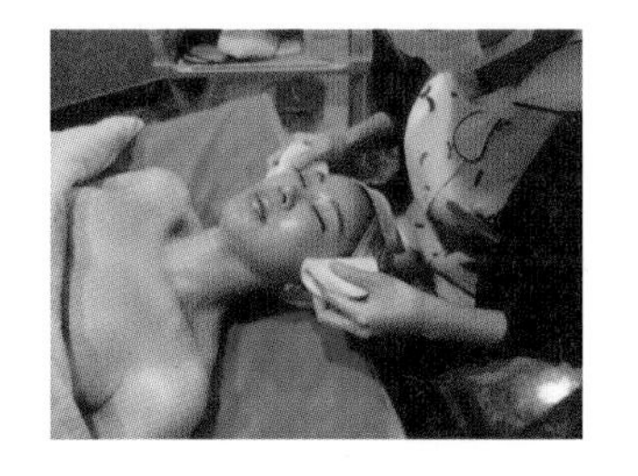

귀 밑
턱에서 귀 밑까지를 닦은 후 귀 부위를 닦아낸다.

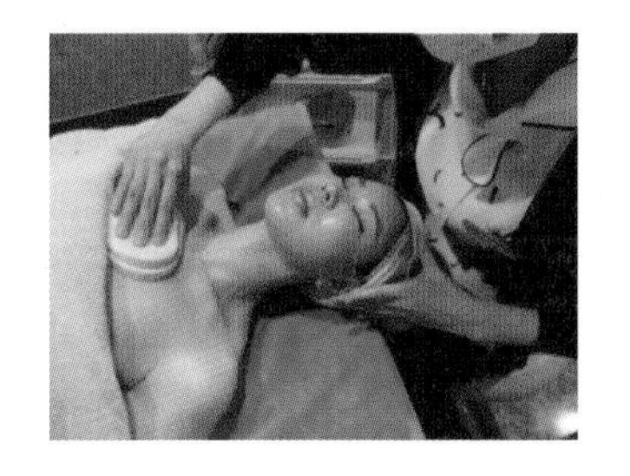

데콜테
해면을 겹쳐서 데콜테 부분부터 목 부위를 아래에서 위 방향으로 닦아낸다.

【실습 순서】

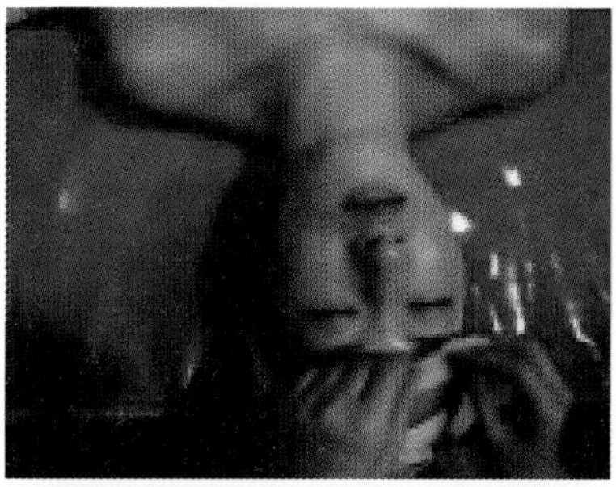

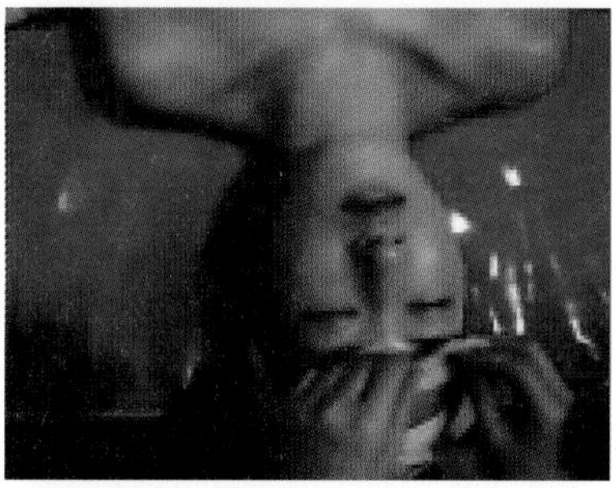

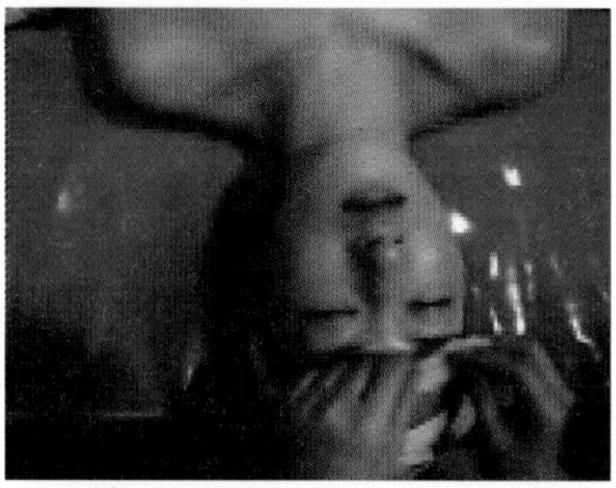

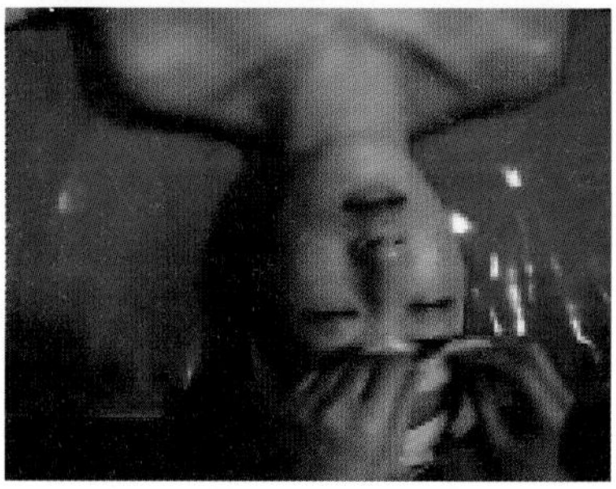

3.3 습포 사용법

《 참 고 》
국가기술자격시험 규정에 의하여 온장고에 보관된 습포는 집게를 사용하여 쟁반에 받쳐야 합니다.
습포의 온도는 40~45℃ 사이가 적당.

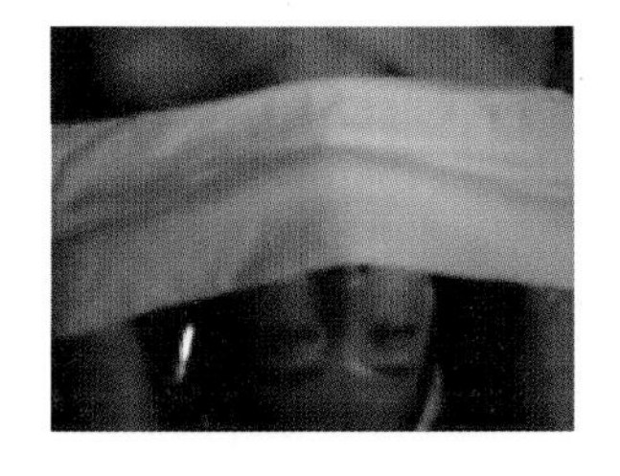

① 습포 얹기
손으로 습포의 온도를 확인하여 얼굴에 올려준다.

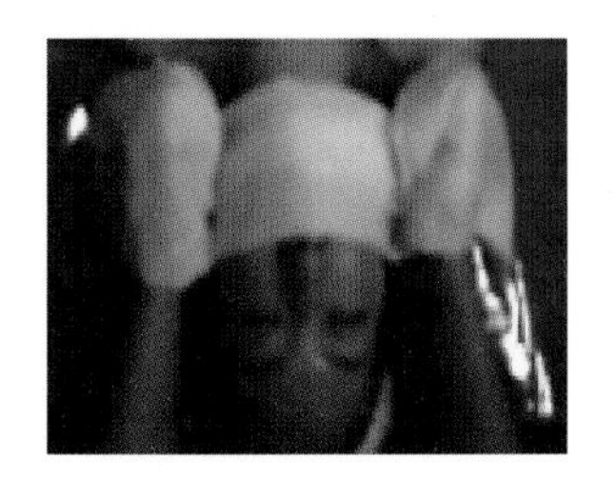

② 턱압 주기
턱 전체를 감싸 밀착해 눌러 압을 준다.

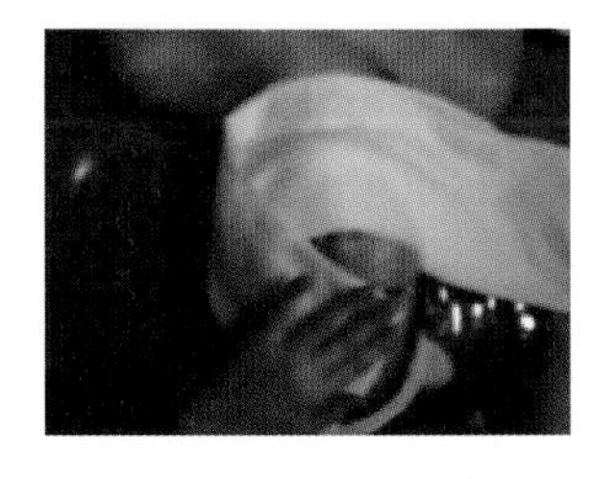

③ 얼굴 감싸기
콧구멍을 덮지 않고 얼굴 전체에 습포를 삼각형으로 접어 감싼다.

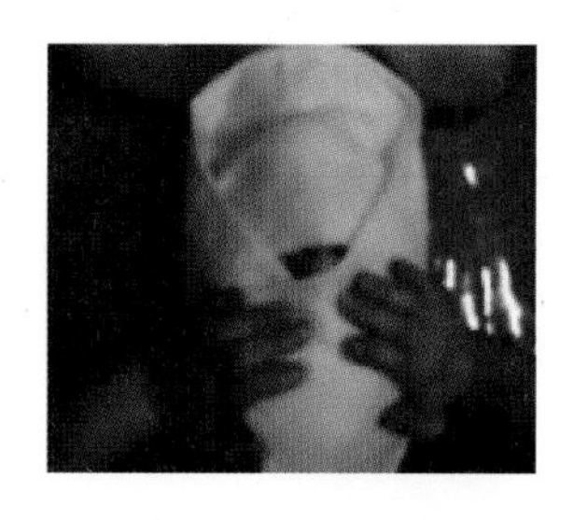

④ 눈 압주기

양 손으로 눈 위 전체를 감싸 지그시 압을 준다.

⑤ 이마 압주기

이마 중앙을 세 부위로 나누어 양 엄지로 지그시 압을 준다.

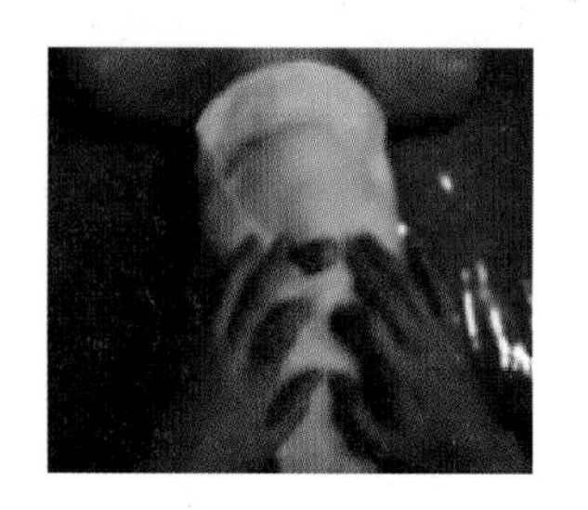

⑥ 지압점 눌러주기

찬죽, 영향, 거료, 관료의 얼굴 중앙의 주요 혈점을 누르면서 내려온다.

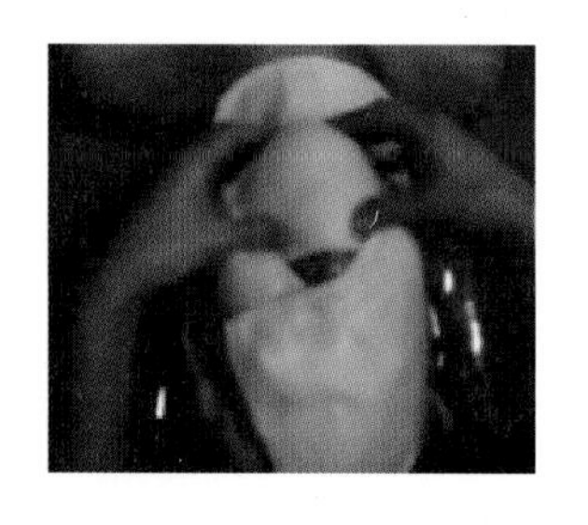

⑦ 입 주위 압 하기

입 주위의 혈점인 인중, 지창, 승장들을 양 엄지로 지압해준다. 검지는 염청을 압한다.

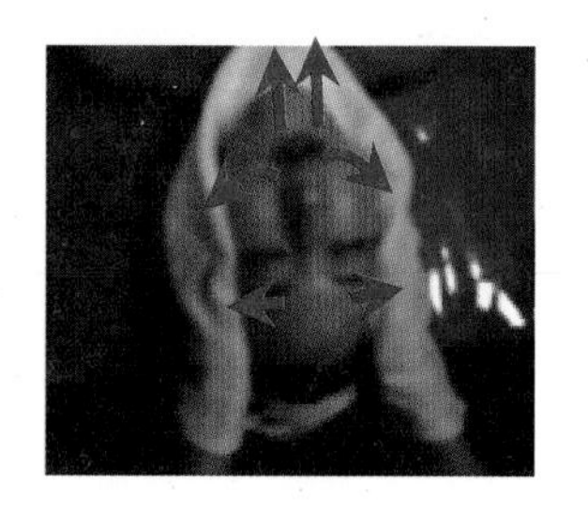

⑧ 얼굴 전체 닦기

양 볼과 이마를 차례로 닦는다. 모든 면을 사용하여 한 번 쓴 면으로 다른 부위를 닦지 않도록 한다.

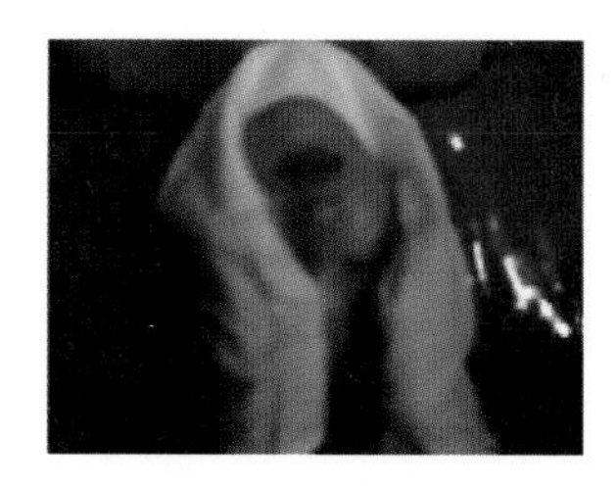

⑨ 눈가와 턱 닦기
섬세하고 깨끗하게 닦는다.

⑩ 목 부위와 후경부, 가슴, 어깨, 데콜테 전체를 닦아준다.

【실습 순서】

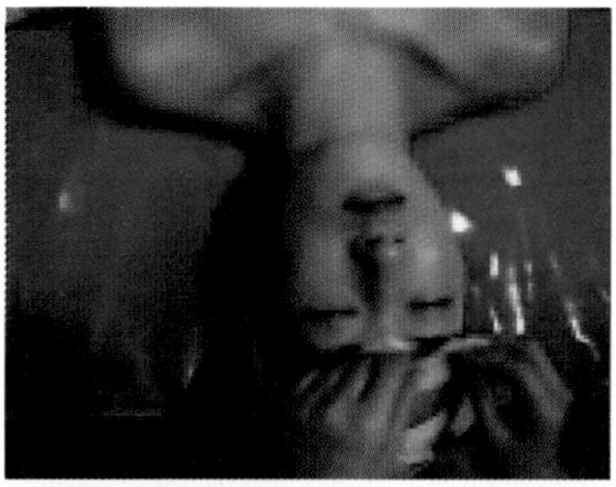

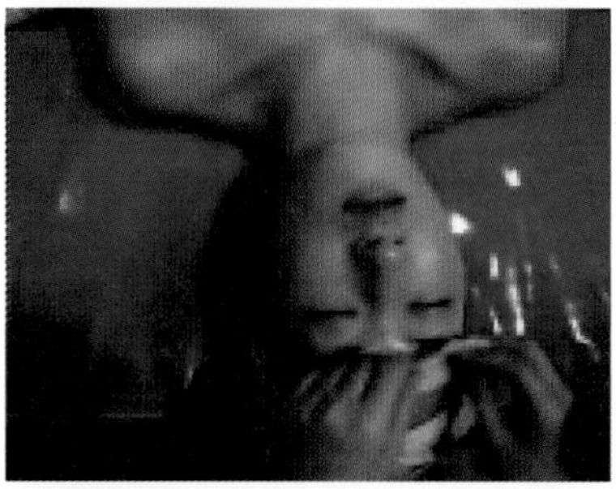

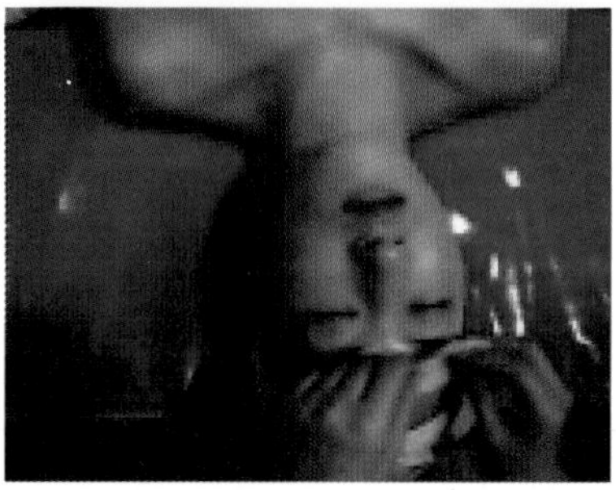

【실습 순서】

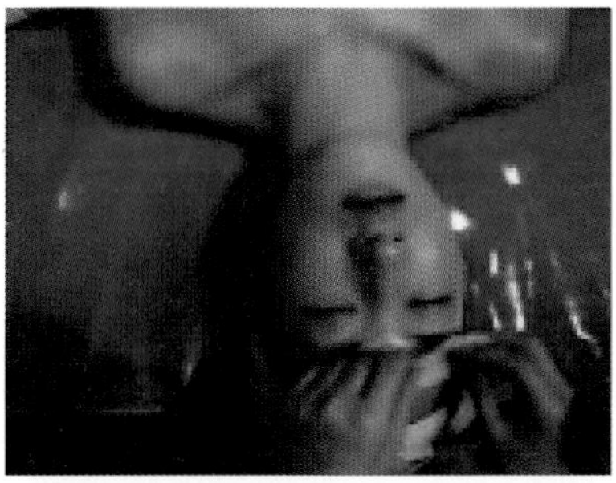

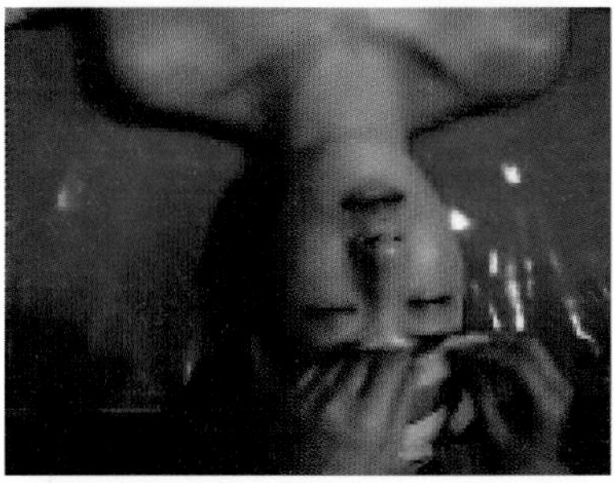

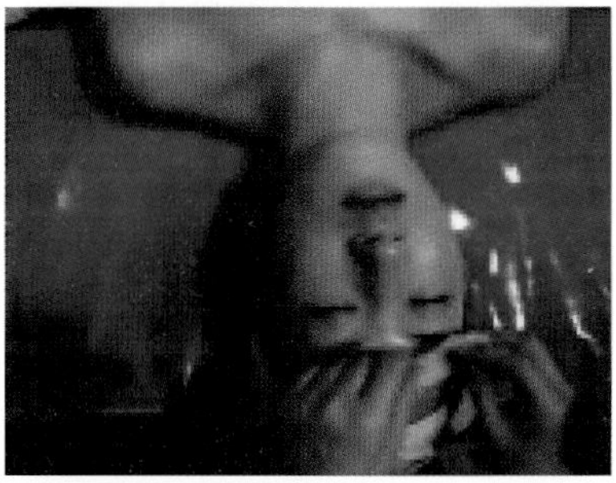

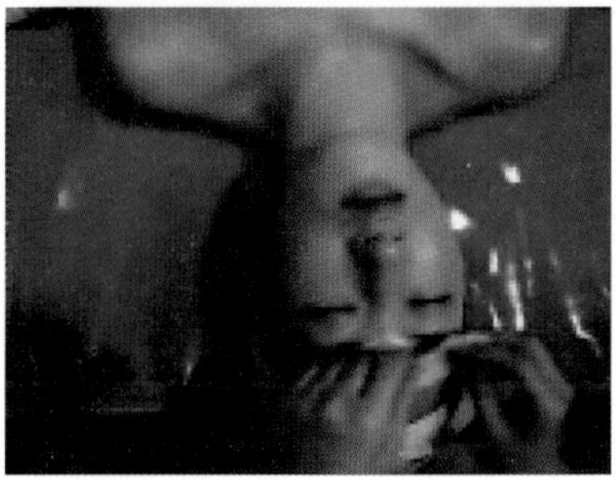

피부미용사 기출문제 - 습포

2010년

8. 습포에 대한 설명으로 틀린 것은?
   가. 타월은 항상 자비소독 등의 방법을 실시한 후 사용한다.
   나. 온습포는 팔의 안쪽에 대어서 온도를 확인한 후 사용한다.
   다. 피부 관리의 최종단계에서 피부의 경직을 위해 온습포를 사용한다.
   라. 피부 관리시 사용되는 습포에는 온습포와 냉습포의 두 종류가 일반적이다.

2009년

10. 피부관리 후 마무리 동작에서 수렴작용을 할 수 있는 가장 적합한 방법은?
   가. 건타올을 이용한 마무리 관리
   나. 미지근한 타올을 이용한 마무리 관리
   다. 냉타올을 이용한 마무리 관리
   라. 스팀타올을 이용한 마무리 관리

2008년

8. 습포의 효과에 대한 내용과 가장 거리가 먼 것은?
   가. 온습포는 모공을 확장시키는데 도움을 준다
   나. 온습포는 혈액순환촉진, 적절한 수분공급의 효과가 있다
   다. 냉습포는 모공을 수축시키며 피부를 진정 시킨다
   라. 온습포는 팩 제거 후 사용하면 효과적이다

3.4 화장수 사용법

《 화장수의 역할 》
토너는 세안 후 남아있는 노폐물이나 메이크업 잔여물을 닦아내 피부를 청결하게 한다. 또 피부 각질층에 수분을 공급하며, 피부의 pH를 조절한다.

화장솜 잡는 법

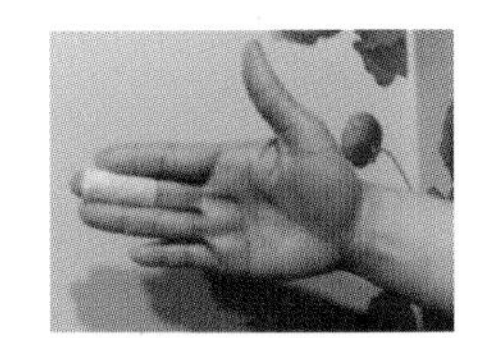

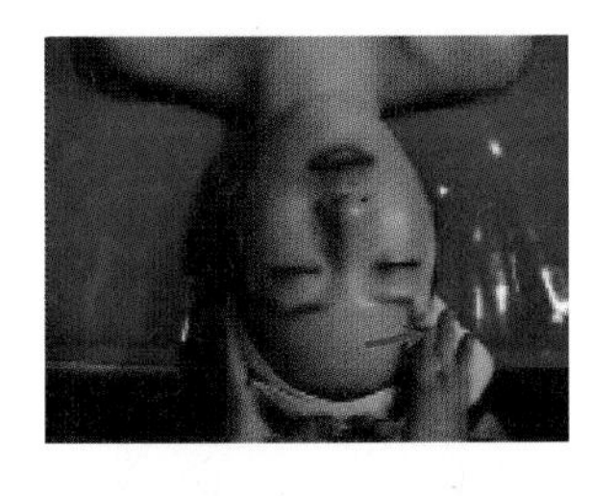

이마를 안쪽에서 바깥 방향으로 닦아낸다.

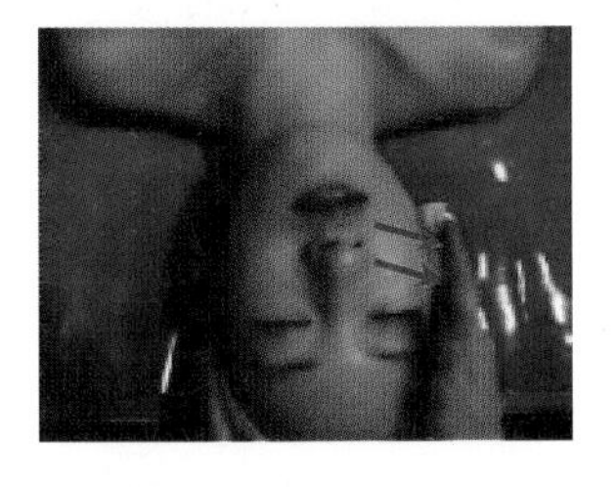

볼 부위를 안쪽에서 바깥 방향으로 닦아낸다.

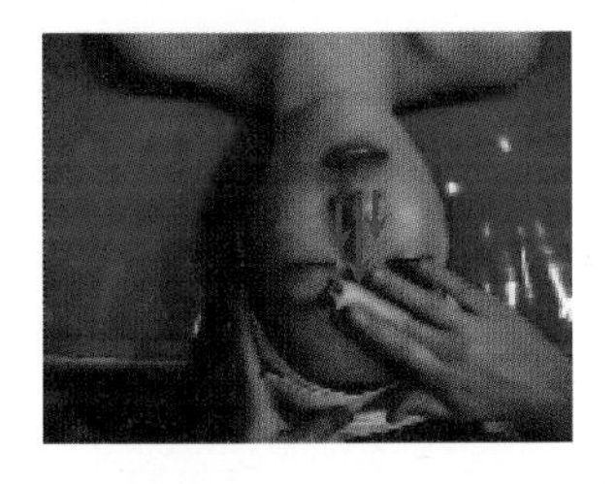

양 코 날개와 콧등의 세 부분으로 나누어 닦아낸다.

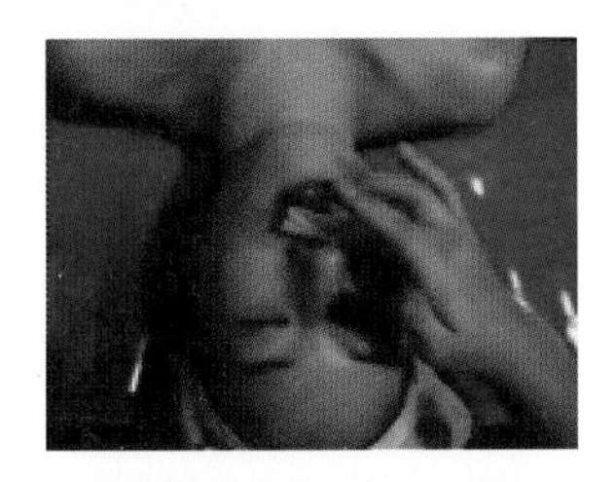

입 주위를 안에서 바깥쪽으로 닦아낸다

목과 가슴부위를 아래에서 위 방향으로 닦아내고, 가슴 중앙에서 어깨와 목 뒤를 따라 예풍에서 마무리하여 닦아낸다

【 실 습 순 서 】

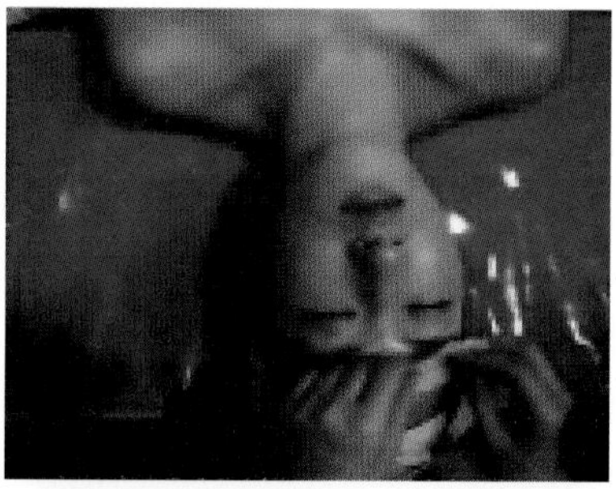

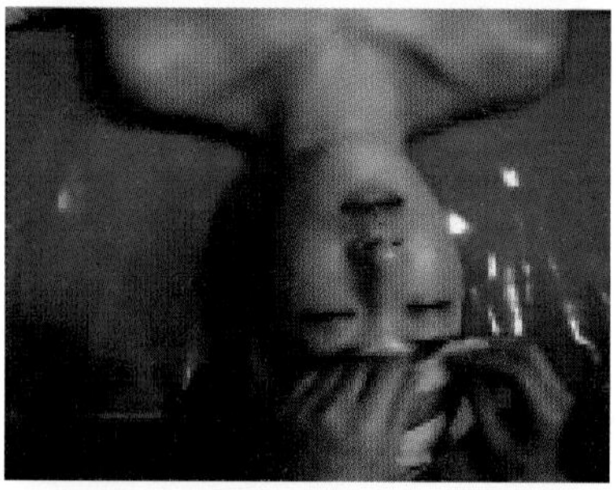

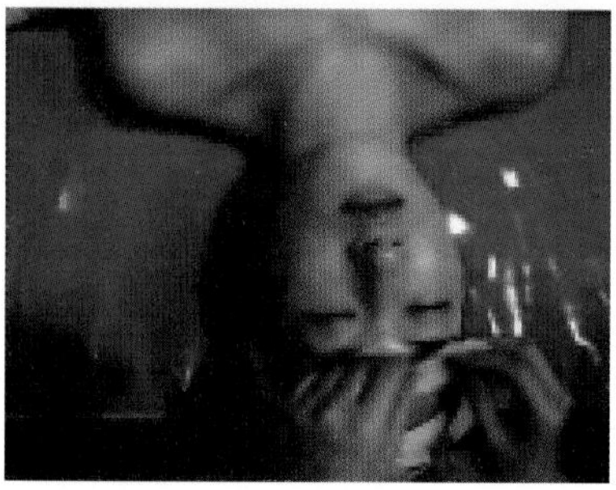

【실습 순서】

4. 마사지

마사지의 어원은 '부드럽게 하다' 라는 의미의 그리스 어 'masso'가 변형되어 massage가 된 것으로, 주로 손을 사용하여 직접 피부에 일정한 방법으로 자극을 줌으로써 건강을 증진시키는 일종의 수기시술이다.

4.1. 마사지란

(1) 마사지의 목적과 효과

① 피부의 혈액순환을 원활히 도와준다.
② 피부 기능과 피부 호흡을 촉진시켜 피부에 영양을 공급해준다.
③ 세포 재생을 도와 화장품 유효 물질의 흡수를 도와준다.
④ 조직의 노폐물과 결합조직에 긴장감을 부여하여 탄력감을 준다.
⑤ 심리적으로 안정감을 준다.

(2) 매뉴얼 테크닉의 요소

① 리듬 : 마사지의 실행에서 균등한 리듬을 유지해야 한다.
② 마사지율 : 천천히 부드럽고 유연하게 시작하여 점점 빠르고 강하게 진행하다가 다시 속도를 늦추어 천천히 부드럽고 유연하게 마무리 한다.
③ 손의 유연성 : 손의 유연성을 유지해 지속적이고 충분하게 손동작 운동을 해야 한다.
④ 손의 압박과 밀착 : 손을 피부에 직접 접촉하고 밀착 한다.
⑤ 동작의 연결성 : 마사지 시 고객의 몸에서 양 손이 동시에 떨어지지 않도록 한다. 또, 동작과 동작 사이에 끊김이 없도록 연결 동작하여 안정감과 편안한 느낌을 주도록 한다.

(3) 매뉴얼 테크닉의 기본 동작

① 경찰법 (Effleurage) : 쓰다듬기
손바닥 전체를 이용하여 부드럽게 쓰다듬는 동작. 시작과 끝 동작이나 연결동작에 주로 사용한다.
(효과) : 혈액순환과 림프순환 촉진, 근육 이완, 신경과 피부 진정작용

② 유엽법 (Patrissage) : 꼬집어주기

가장 강한 동작으로, 손가락 전체를 이용하여 피부를 집어 반죽하는 동작이다.

(효과) : 근육의 경련을 없애준다. 근육의 긴장을 이완, 근육을 강화시켜준다. 노폐물제거, 순환 개선

③ 강착법 (Friction) : 문지르기, 마찰하기

손가락 끝 부분을, 엄지 손가락을 이용하여 원을 그리듯이 가볍게 움직이는 것

(효과) : 신진대사 촉진, 노폐물 배출

④ 고타법 : 두드리기

주먹, 손바닥 전체를 이용하여 빠른 동작으로 두드리는 동작.

(효과) : 혈액순환 촉진, 피부 탄력 증진

⑤ 진동법 (vibration) : 떨어주기

피부에 진동을 주는 방법

(효과) : 근육 및 신경에 자극을 주어 기능을 향진시킨다. 근육의 진정, 이완

(4) 마사지를 삼가해야 할 피부

① 화농성 피부

② 정맥류가 있는 경우

③ 일소 후 또는 다른 자극에 의해 홍반 현상이 나타났을 때

(5)마사지를 행할 때 유의사항

① 조용하고 편안한 분위기에서 휴식을 취할 수 있도록 한다.

② 상처를 낼 수 있기 때문에 손톱이 짧아야 한다.

③ 관리사의 머리와 얼굴은 만지지 않는다.

4.2 안면 경혈점 익히기

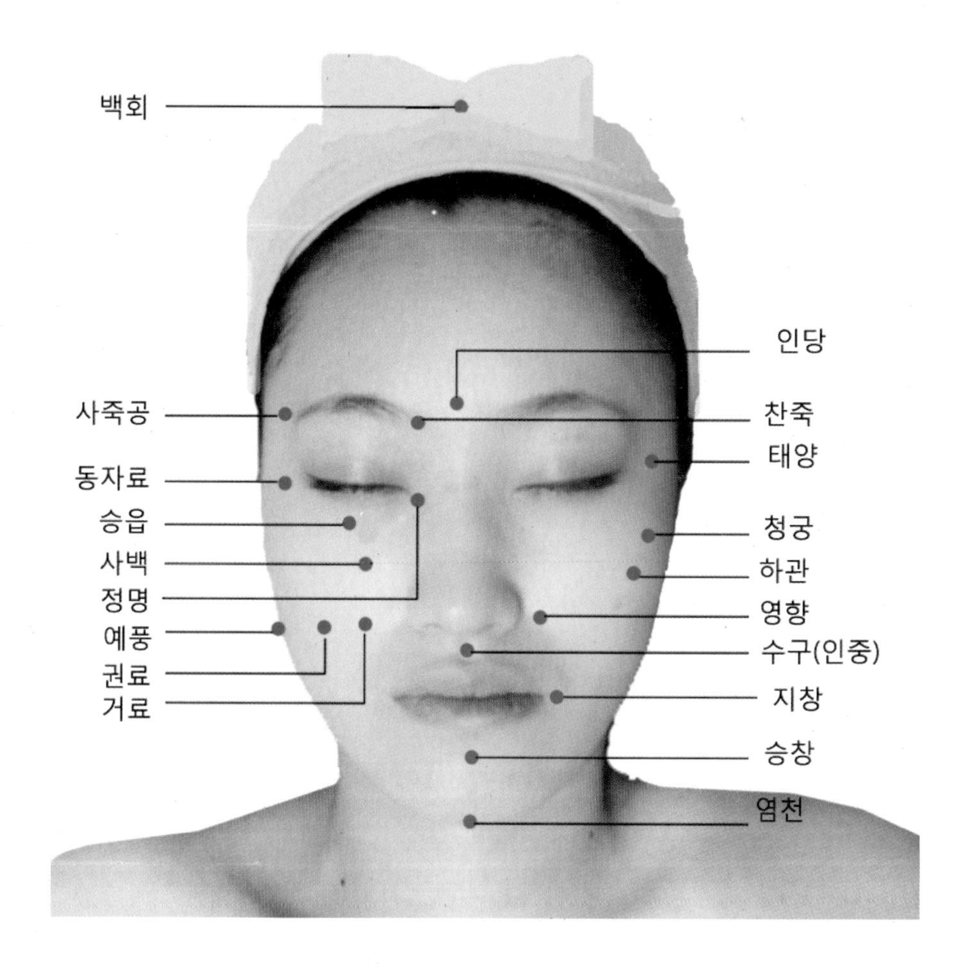

혈 점	효 과	미 용 효 과
백회	뇌출혈, 중품, 치질	모발윤택, 탈모방지
신정	시력장애, 두통	
인당	두통, 비염, 감기	
찬죽	시력장애, 눈을 밝게 함	
양백	전두통	

어요	녹내장	
사죽공	두통	안면 근육의 경직 완화
태양	측두통, 눈병	
동자료	두통, 시력 감퇴	눈가 주름 완화, 눈을 맑게 함
승읍	눈을 밝게 함	눈가 주름 완화, 눈가 늘어짐 방지
정명	눈병	
지창	구안와사	입꼬리 처지 방지
이문	안면근육의 경직이완, 이명현상, 청각 상실	턱선의 비대경감
청궁	이명현상, 청각 상실	안면주름, 얼굴측면의 여드름, 광대뼈 돌출방지
청회	이명현상, 청각 상실	안면근육 경직이완
예풍	눈의 피로, 편두통, 중풍예방	얼굴근육의 경직이완
인중	수구/순환기 계통, 기절했을 시	
협차	구안와사	얼굴 축소 기능
하관	구안와사	
권료	구안와사	
승장	침 흘림병, 잇몸 질환	안면의 경직이완
거료	구안와사	볼처짐 방지
염천	턱관절 질환, 잇몸	
영향	축농증, 비염	

피부미용사 기출문제 - 매뉴얼 테크닉

2010년

13. 매뉴얼 테크닉 시 가장 많이 이용되는 기술로 손바닥을 편평하게 하고 손가락을 약간 구부려 근육이나 피부 표면을 쓰다듬고 어루만지는 동작은?
    가. 프릭션(friction)
    나. 에플로라지(effleurage)
    다. 페트리사지(petrissage)
    라. 바이브레이션(vibration)

16. 매뉴얼 테크닉 시술에 대한 내용으로 틀린 것은?
    가. 매뉴얼 테크닉시 모든 동작이 연결될 수 있도록 해야 한다.
    나. 매뉴얼 테크닉시 중추부터 말초 부위로 향해서 시술해야 한다.
    다. 매뉴얼 테크닉시 손놀림도 균등한 리듬을 유지해야 한다.
    라. 매뉴얼 테크닉시 체온의 손실을 막는 것이 좋다.

2009년

4. 메뉴얼 테크닉 기법 중 닥터 자켓(Dr.jacquet) 법에 관한설명으로 가장 적합한 것은?
    가. 디스인크러스테이션(Disincrustation)을 하기 위한 준비단계에 하는 것이다.
    나. 피지선의 활동을 억제한다.
    다. 모낭 내 피지를 모공 밖으로 배출시킨다.
    라. 여드름 피부를 클렌징 할 때 쓰는 기법이다.

15. 메뉴얼 테크닉의 동작 중 부드럽게 스쳐가는 동작으로 처음과 마지막이나 연결동작으로 많이 사용하는 것은?
    가. 반죽하기　　　나. 쓰다듬기
    다. 두드리기　　　라. 진동하기

2008년

1.매뉴얼테크닉을 적용할 수 있는 경우는?

가. 피부나 근육, 골격에 질병이 있는 경우

나. 골절상으로 인한 통증이 있는 경우

다. 염증성 질환이 있는 경우

라. 피부에 셀룰라이트가 있는 경우

12.매뉴얼테크닉을 이용한 관리시 그 효과에 영향을 주는 요소와 가장 거리가 먼 것은?

가. 속도와 리듬 나. 피부결의 방향

다. 연결성 라. 다양하고 현란한 기교

4.3 안면 마사지 실습

마사지 크림을 따뜻하게 손으로 녹인 후 클렌징 동작과 같은 동작으로 도포한다.

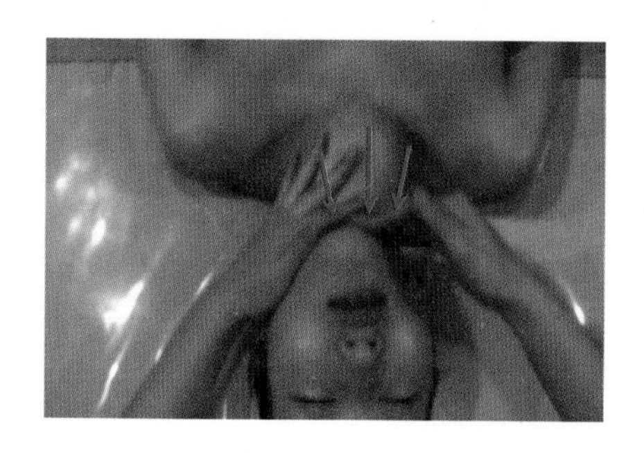

양 손바닥을 밀착하여 양손을 번갈아 아래에서 위 방향으로 3등분하여 끌어 올려준다.

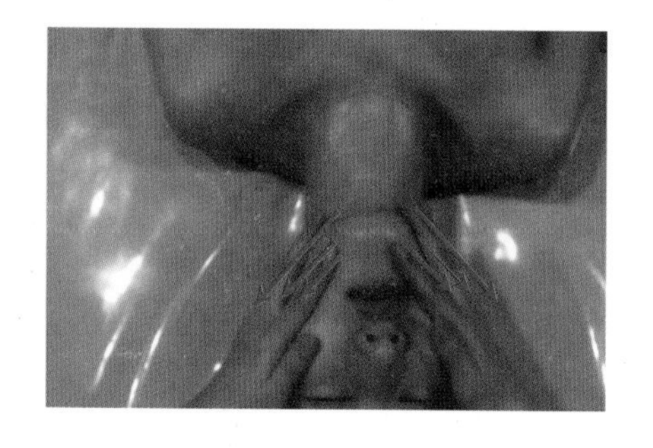

2지로 위턱, 3,4,5지는 아래턱에 압을 주고 에풍까지 쓸어준다.

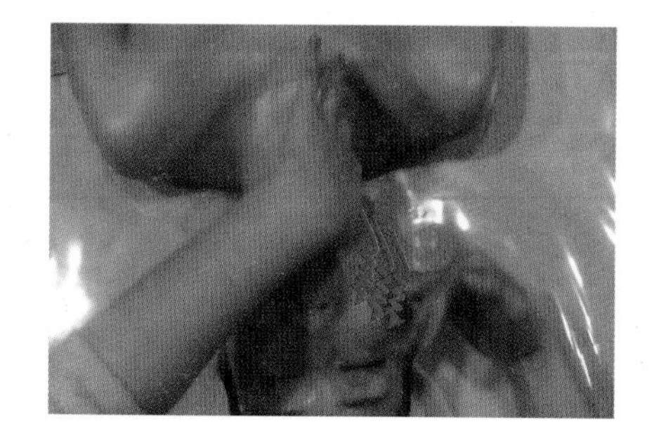

교근, 협근, 익돌근에 바이브레이션을 주며 쓸어준다.

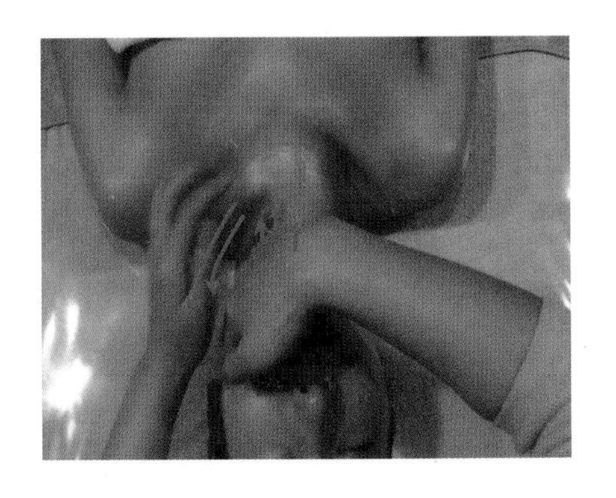

이근과 하악을 분할하여 쓸어준다.

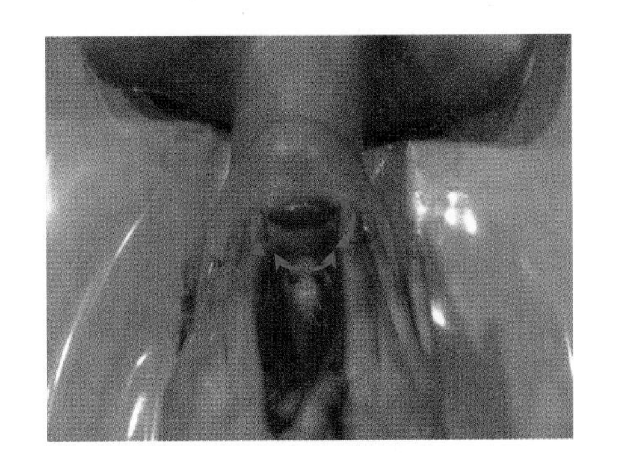

구륜근을 지압한 후 승장->지창->수구-> 지창의 순서로 자극한다.

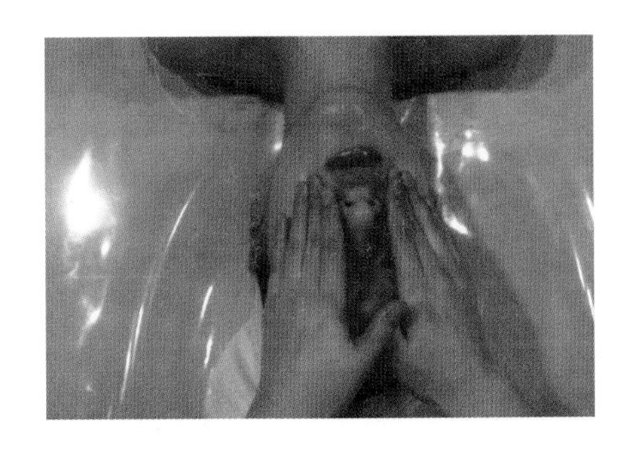

지창을 양손 중지, 약지를 이용하여 튕겨준다. 5회 반복.

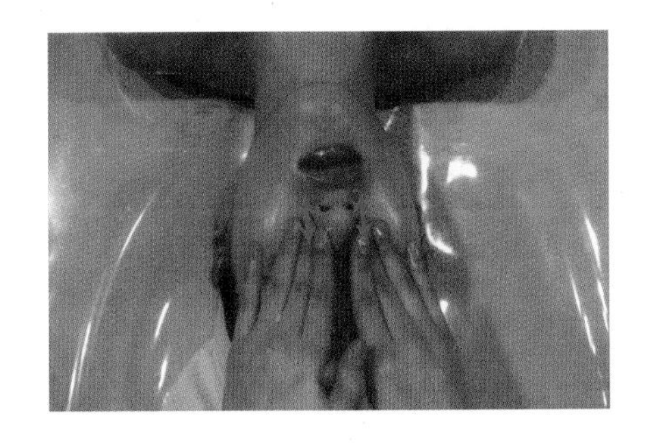

3지를 이용하여 코 망울 옆을 아래에서 위로 위에서 아래 방향으로 왕복한다. 5회 반복.

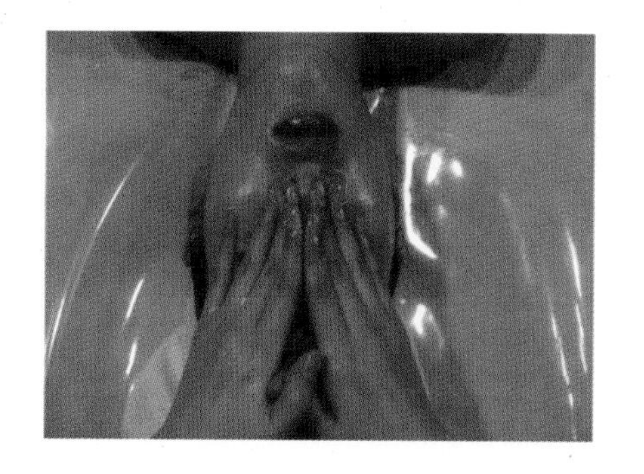

3지로 코망울을 돌린다. 3회 반복.

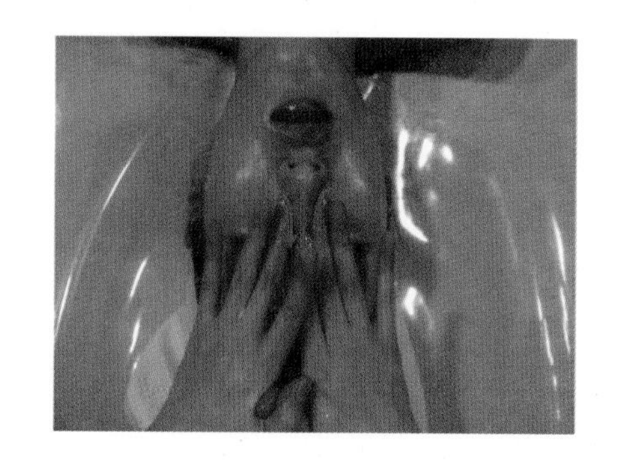

양 3지로 콧등과 코의 양 옆을 쓸어 올려준다. 5회 반복.

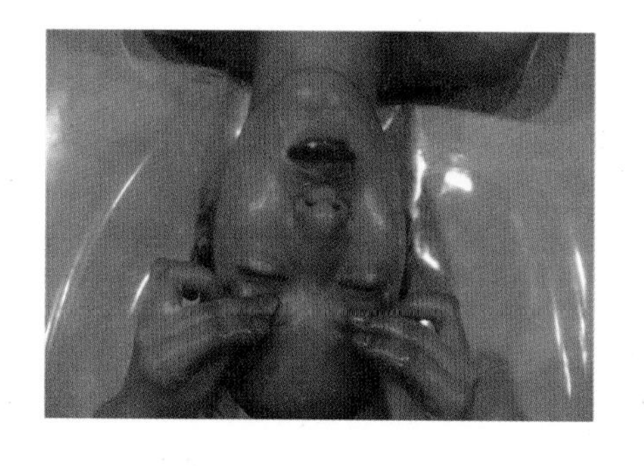

1지와 3지를 이용하여 눈썹을 집어준다. 3회 반복.

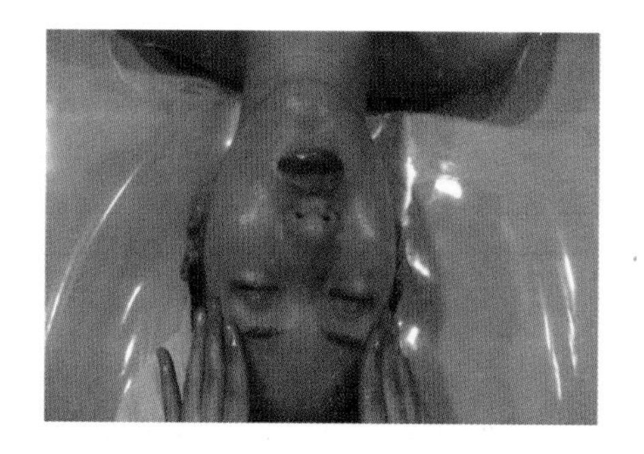

2지와 3지를 이용하여 눈 옆을 아래 위로 왕복하여 쓸어준다. 5회 반복

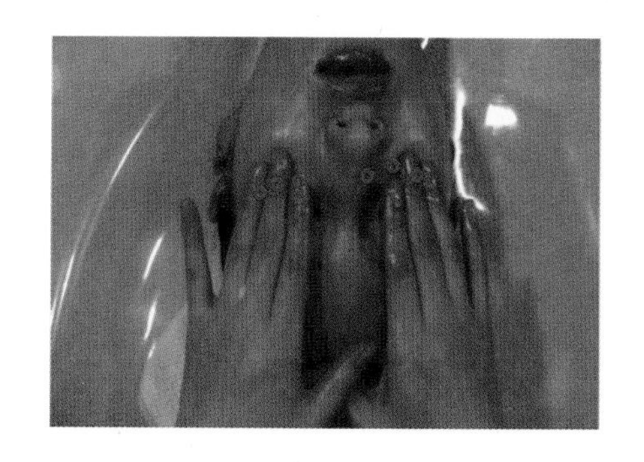

3지를 이용하여 눈 밑을 주변을 따라 작은 원을 그린다. 3회 반복한다.

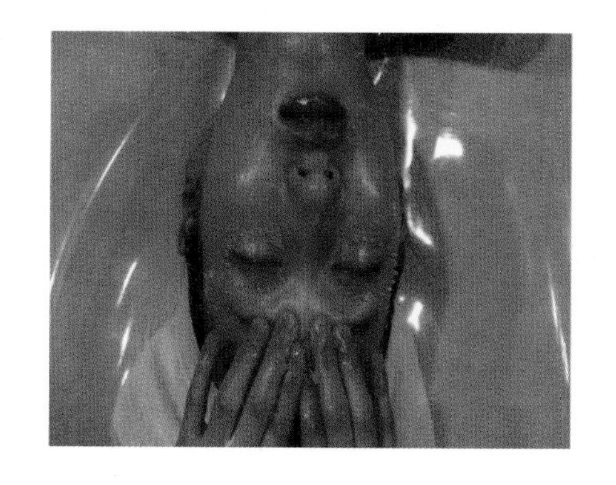

3,4지를 이용하여 눈 주위를 돌아 미간을 위로 살짝 당겨준다. 3회 반복.

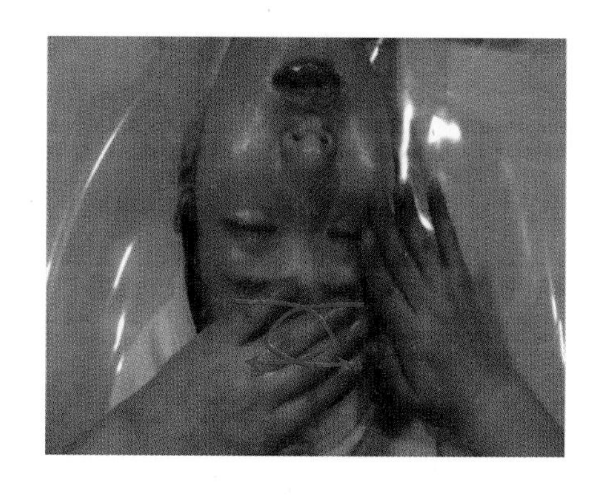

손바닥으로 양 손을 교차하여 이마를 반원을 3회 반복하여 그려준다.

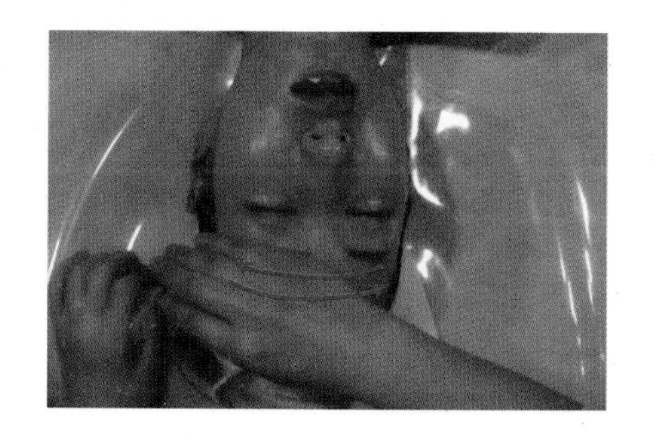

손바닥으로 양손을 교차하며 이마를 가로로 쓸어준다. 3회 반복.

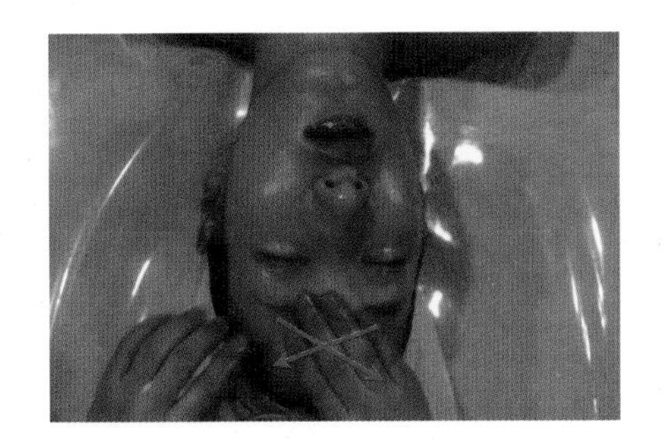

손바닥으로 이마를 위로 당기며 양 손을 교차하여 x자로 쓸어준다. 3회 반복한다.

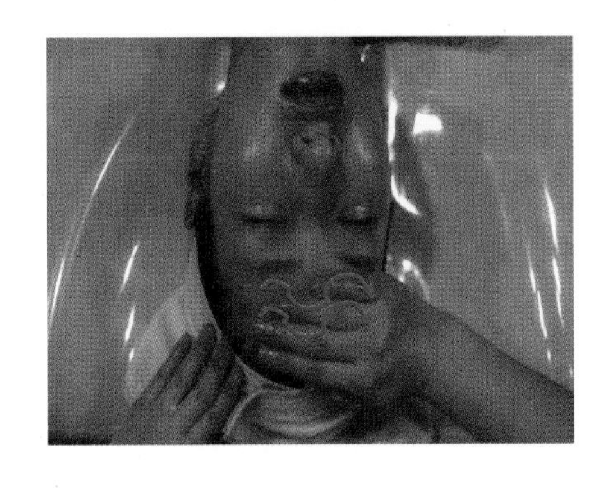

양 손을 한 손씩 이마를 굴곡을 주며 3회 가로로 쓸어준다.

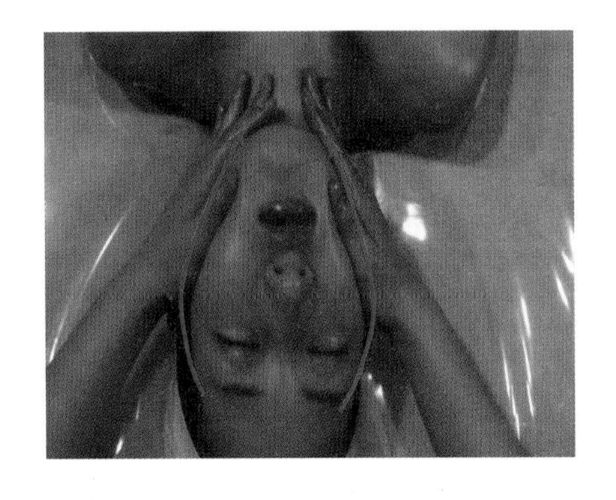

안으로 모으듯이 하여 양 손을 눈 옆에서 턱밑까지 내려간다.

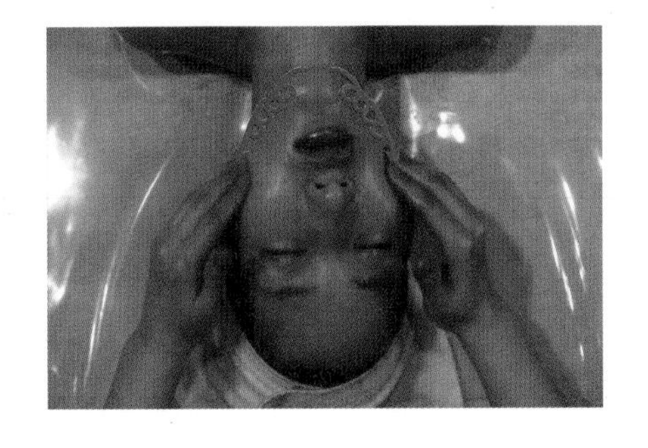

2,3,4,5지를 이용하여 턱 중앙에서 귀밑까지 원을 그리며 올라간다.

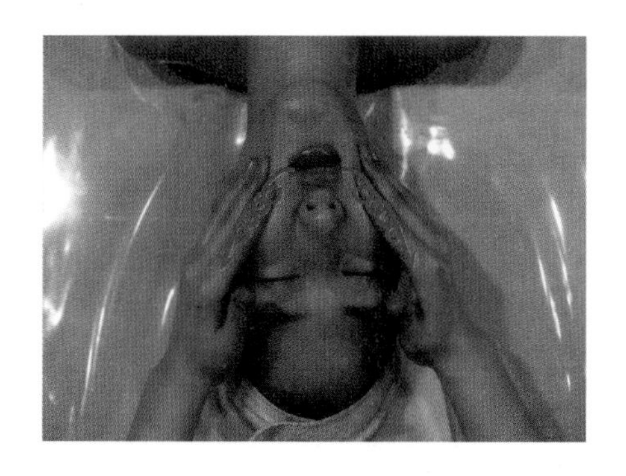

2,3,4,5지를 이용하여 입술 옆에서 귀 밑까지 원을 그리며 올라간다.

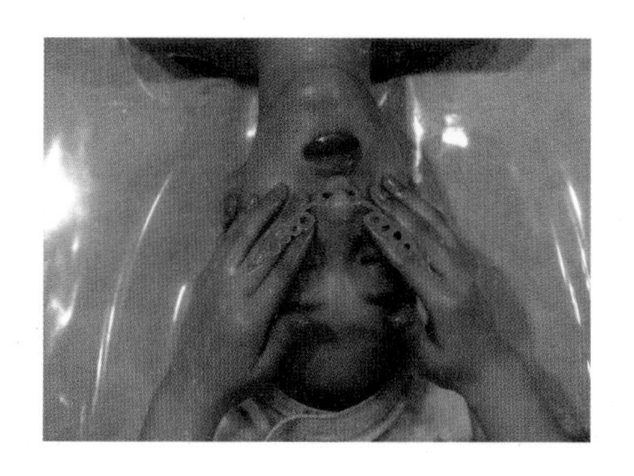

2,3,4,5지로 코 옆에서 눈꼬리까지 원을 그리며 올라간다.

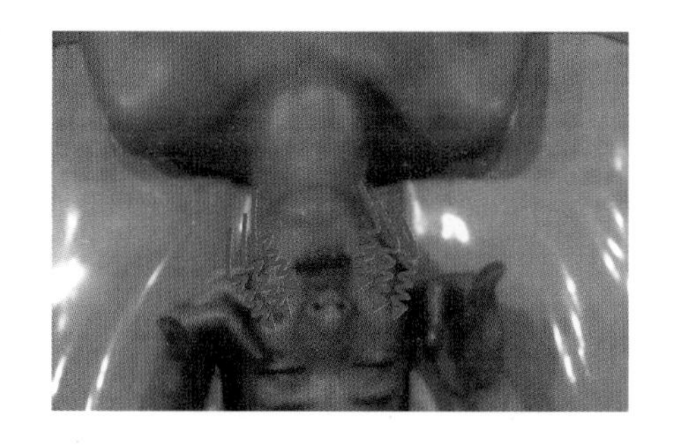

2,3,4,5지로 양 볼을 동시에 Vibration 해준다.

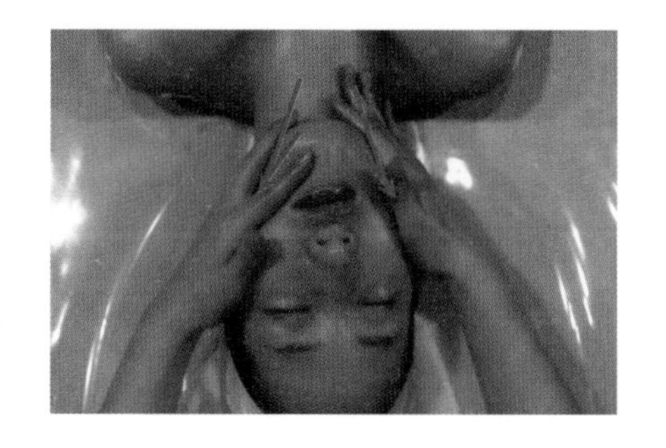

2지는 위턱, 3,4,5지는 아래턱에 올리고 손을 가위모양으로 벌려 쓰다듬는다.

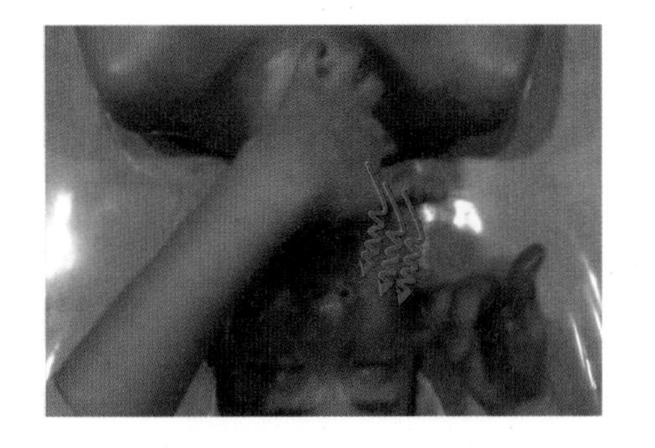

볼을 2등분하여 2,3,4,5지로 한쪽씩 7회 반복 하여 Vibration한다.

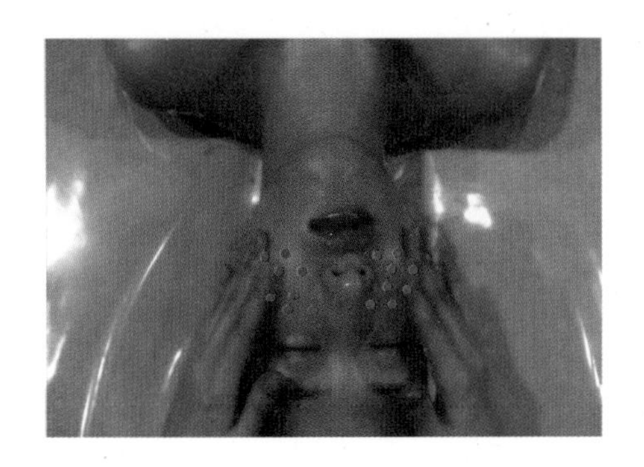

볼 전체를 피아노를 치듯 가볍게 두드린다.

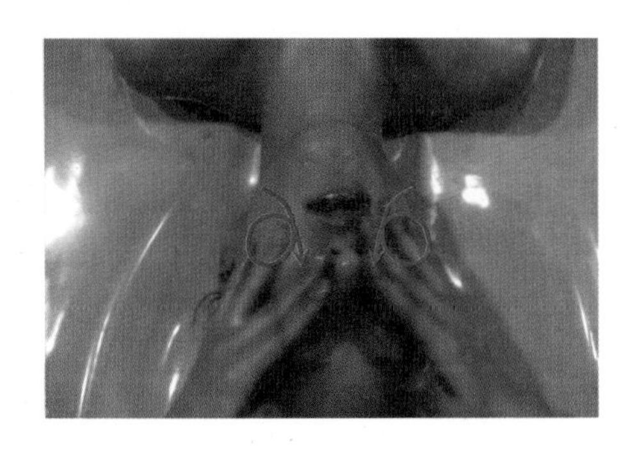

2,3,4,5지를 이용하여 양 볼을 동시에 큰 원을 그려준다.

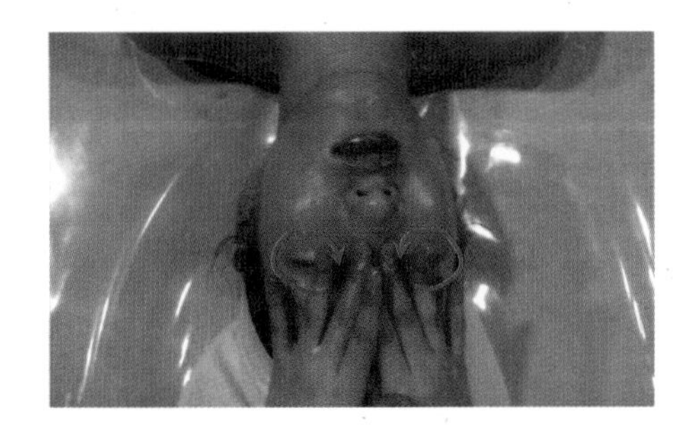

3,4지를 이용하여 눈 주위를 돌려준다. 3회 반복한다.

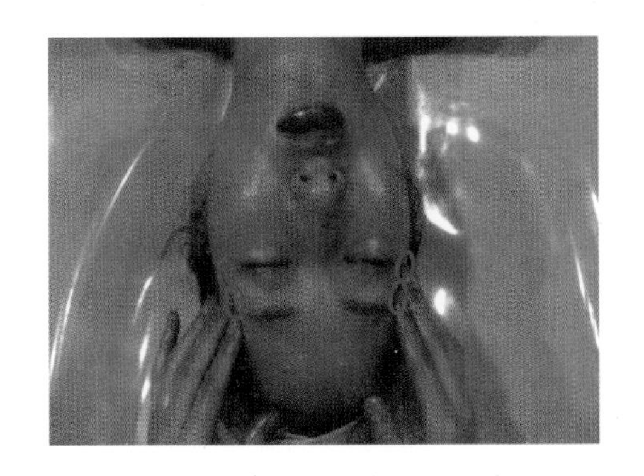

3,4지를 이용하여 눈 옆을 8자를 그려준다. 5회 반복한다.

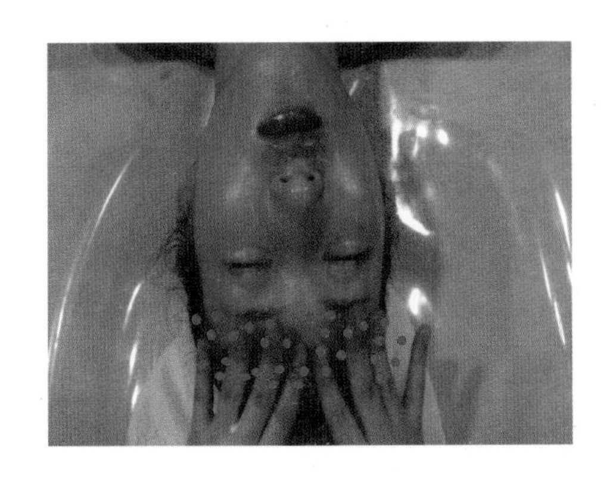

2,3,4지로 이마를 가로로 피아노를 치듯 가볍게 두드려준다.

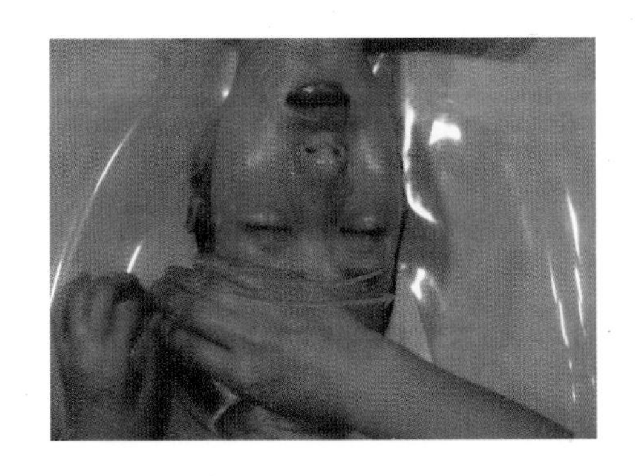

손바닥으로 양손을 교차하며 이마를 가로로 쓸어준다.

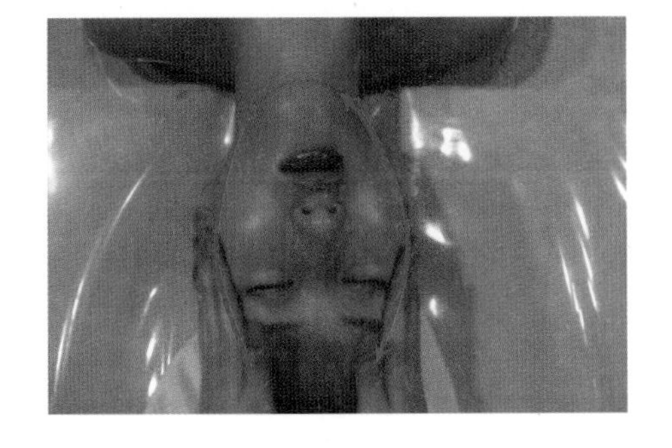

손을 밀착하여 이마에서 턱까지 안으로 모으듯 왕복한다.

턱->이마->눈 밑까지 쓰다듬어주며 올라간다.

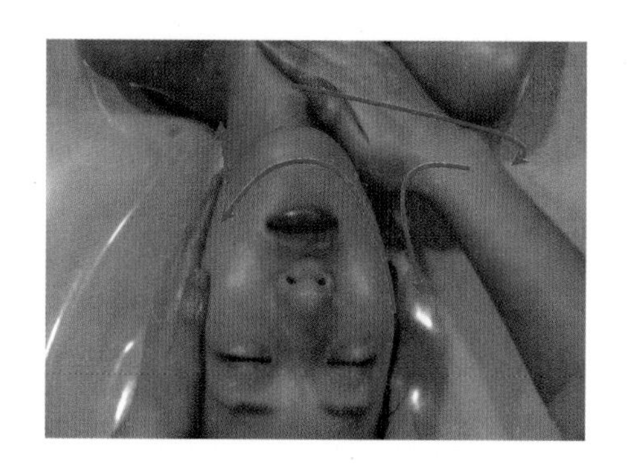

한 손은 눈 옆에 고정시키고 볼->반대쪽 턱-> 목->어깨를 돌아 반대 어깨-> 목->귀 밑에 정지한다.

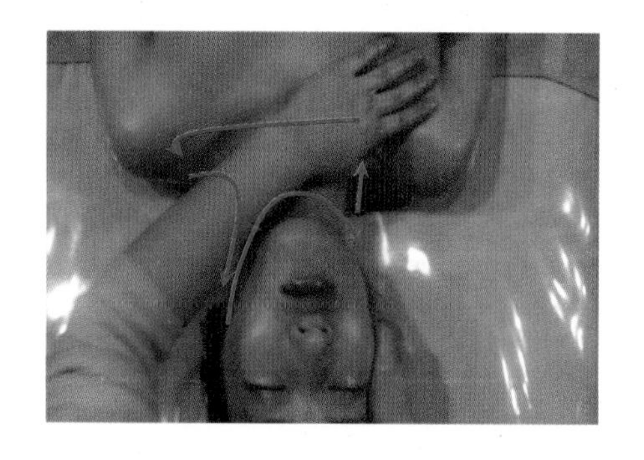

한 손은 귀 밑에 고정시키고 볼->반대쪽 턱->목-> 어깨를 돌아 반대 어깨->목->귀 밑에 정지한다.

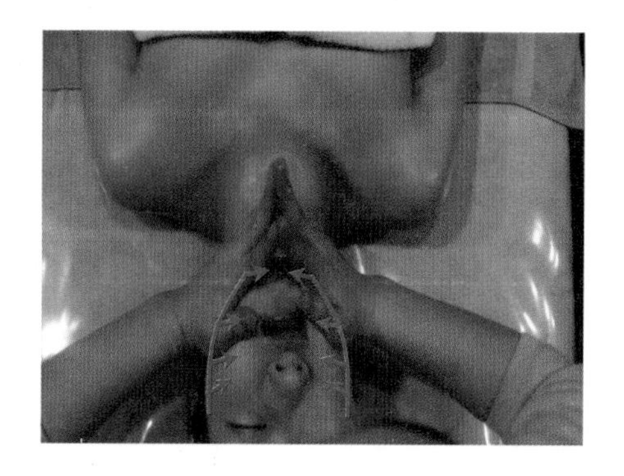

양 손으로 얼굴을 감싸듯이 모아 중앙으로 올렸다 내려준다.

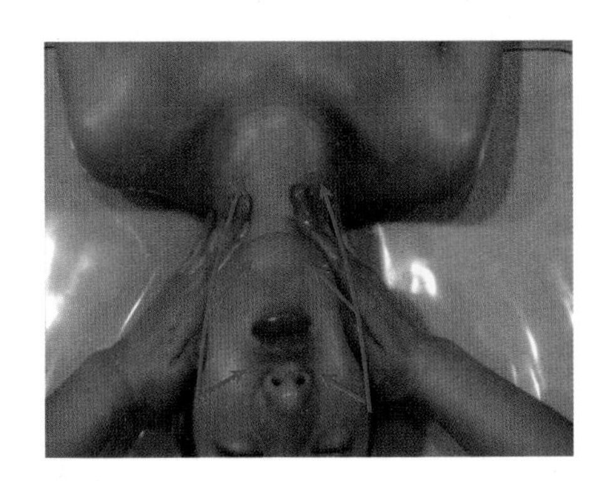

양손으로 얼굴을 감싸듯이 모아 턱 쪽으로 내리며 마무리한다.

5. 팩

팩(Pack)이란 단어는 영어의 'package'에서 유래되었으며, 독일어에서는 packung과 Mask로 구분된다. '포장하다' 또는 '둘러싸다' 의 뜻.

5.1 팩의 목적과 효과

목적 : 재료나 팩의 유효성분에 따라 피부에 진정, 수렴, 보습, 영양을 공급해 건강한 피부를 유지

효과

① 혈액순환 및 피부 신진대사를 촉진한다.
② 유효성분을 공급한다.
③ 피부에 수렴 및 모공 수축
④ 수분공급 및 피부에 진정효과 탁월

5.2 팩의 종류

1) 제거방법에 의한 분류

① 워시 오프 타입 (Wash off type)
물로 씻어 제거하는 것
크림, 점토형태, 젤리타입, 분말 등의 형태
피부에 자극이 적다.

② 티슈 오프 타입 (Tissue off type)
티슈로 닦아내는 것
보습, 영양공급효과가 탁월하다.
여드름, 지성피부에는 사용하지 않는다.

③ 필 오프 타입 (Peel off type)
바른 후 건조되면 얇은 필름막으로 벗겨진다.
젤리형태, 페이스형태, 분말형태
피지나 죽은 각질이 많이 제거된다.
떼어낼 때 자극이 가지 않도록 주의한다.

2) 유형에 따른 분류

① **천연팩** : 곡물, 과일, 야채 등을 재료로 만들어진 팩. 종류와 성분에 따라 효과가 다르다.

② **한방팩** : 한방재료로 만들어져 약효과가 탁월한 팩. 특히 문제성피부에 효과가 탁월하다.

③ **화장품 팩** : 유효한 성분을 크림, 분말, 젤 등의 타입으로 제품화 한 것.

3) 특수팩

① 석고마스크 (Gips mask)

석고와 물이 교반작용을 한 후 크리스탈 성분이 열을 발산하여 굳어진다. 도포한 후 약 40℃ 이상의 열이 8~15분 정도 지속적으로 공급되어 온도차에 의한 혈액순환 및 촉진효과를 볼 수 있다.

② 고무마스크 (Rubber mask)

분말 타입으로 물과 혼합하여 바른 후 15~20분 정도 지나면 고무처럼 굳는 팩. 각 피부타입별로 있어 다양한 관리가 가능하다. 진정 및 수분공급 효과가 있다.

③ 벨벳 마스크(Collagen velvet mask)

천연용해성 콜라겐을 침투시킨다. 기포가 생기지 않도록 화장수나 증류수를 이용하여 도포한다.

④ 파라핀 마스크

녹여서 사용하는 형태로 45℃ 이상의 발열효과가 있다. 열과 오일이 모공을 열어 피부를 코팅하는 과정에서 발한작용이 생기는 마스크이다. 건성, 노화 피부에 적합하며 주로 손과 발의 관리에 사용된다.

《 팩의 사용방법 》

① 눈에 아이패드를 올려놓는다.

② 팩을 양 볼 -> 이마-> 턱 -> 코 순으로 균일하게 펴준다.

③ 15~20분 후 마무리, 제거한다.

※ 팩 제거 시 이마에서부터 제거한다.

《 팩 사용 주의사항 》

팩 사용 전 꼭 테스트를 실시하여 트러블 여부를 확인한다.

① 반드시 피부 유형에 맞는 팩을 사용한다.

② 팩 도포의 방향은 안에서 바깥으로, 아래에서 위의 방향으로 균일하게 바른다.

③ 눈 부위에는 아이패드를 올린다.
④ 천연팩, 한방팩은 즉시 만들어 사용하고, 흡수시간은 짧게 적용한다.

〖 석고마스크 〗

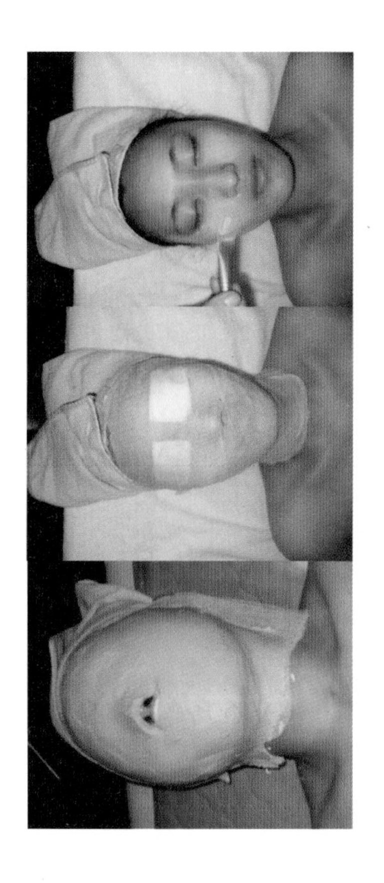

① 석고 베이스를 발라준다.

② 아이패드, 립패드를 올려주고, 젖은 거즈를 올려준다.

③ 10~15분후 건조되면 해면으로 닦아준다.

④ 정리 후 스킨, 에센스, 아이크림, 영양크림 순으로 발라준다.

〖 모델링 마스크팩 (고무팩)〗

① 화장수로 가볍게 피부를 정리한다.
② 고무팩을 준비하기 전에 기능성 고농축 앰플을 언굴 전체와 목부위에 도포한다.
③ 아이패드, 립패드를 올려준 후 젖은 거즈를 올려준다. (거즈생략가능)
④ 계량컵으로 1.5~2 :15~2 (찬물:파우더) 비율로 고무볼에 덜어서 스파츌라로 빠르게 골고루 게어 준다.

⑤ 잘게어 놓은 고무팩을 콧구멍을 제외한 얼굴 전체와 목부위에 올려준다.

⑥ 10분~15분후 떼어낸 후 해면으로 마무리 해준다.

⑦ 화장수를 묻혀 얼굴을 정리해주고 에센스, 아이크림, 영양크림 순으로 발라준다.

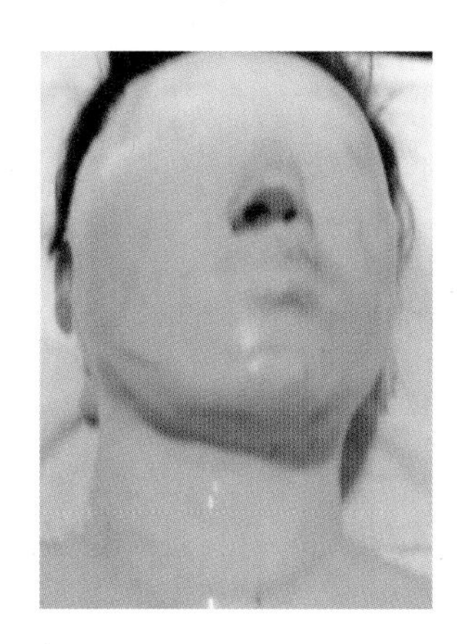

피부미용사 기출문제 - 팩

2010년

10. 팩의 목적이 아닌 것은?
    가. 노폐물의 제거와 피부정화
    나. 혈액순환 및 신진대사 촉진
    다. 영양과 수분공급
    라. 잔주름 및 피부건조 치료

18. 다음 중 피지분비가 많은 지성, 여드름성 피부의 노폐물 제거에 가장 효과적인 팩은?
    가. 오이팩 나. 석고팩
    다. 머드팩 라. 알로에겔팩

44. 팩에 사용되는 주성분 중 피막제 및 점도 증가제로 사용되는 것은?
    가. 카올린(kaolin), 탈크(talc)
    나. 폴리비닐알코올(PVA), 잔탄검(xanthan gum)
    다. 구연산나트륨(sodium citrate), 아미노산류(amino acids)
    라. 유동파라핀(liquid paraffin), 스쿠알렌(squalene)

2009년

17. 마스크에 대한 설명 중 틀린 것은?
    가. 석고 - 석고와 물의 교반 작용 후 크리스탈 성분이 열을 발산하여 굳어진다.
    나. 파라핀 - 열과 오일이 모공을 열어주고, 피부를 코팅하는 과정에서 발한 작용이 발생한다.
    다. 젤라틴 - 중탕되어 녹여진 팩제를 온도 테스트 후 브러쉬로 바르는 예민 피부용 진정 팩이다.
    라. 콜라겐 벨벳 - 천연 용해성 콜라겐의 침투가 이루어지도록 기포를 형성시켜 공기층의 순환이 되도록 한다.

2008년

3. 민감성 피부의 화장품 사용에 대한 설명으로 틀린 것은?

가. 석고팩이나 피부에 자극이 되는 제품의 사용을 피한다

나. 피부의 진정. 보습효과가 뛰어난 제품을 사용한다

다. 스크럽이 들어간 세안제를 사용하고 알코올 성분이 들어간 화장품을 사용한다

라. 화장품 도포시 첩포시험을 하여 적합성 여부의 확인 후 사용하는 것이 좋다

5. 도포 후 온도가 40도 이상 올라가며, 노화 피부 및 건성피부에 필요한 영양흡수 효과를 높이는데 가장 효과적인 마스크는?

가. 석고마스크　　나. 콜라겐마스크

다. 머드마스크　　라. 알긴산마스크

13. 팩의 설명으로 옳은 것은?

가. 파라핀 팩은 모세혈관확장 피부에 사용을 피한다

나. 워시 오프 타입의 팩은 건조되어 얇은 필름을 형성하며 피부청결에 효과적이다

다. 필 오프 타입의 팩은 도포 후 일정시간 지나 미온수로 닦아내는 형태의 팩이다

라. 건경피무에 적용시 도포하여 건조시키는 것이 효과적이다

5.3 팩 사용법

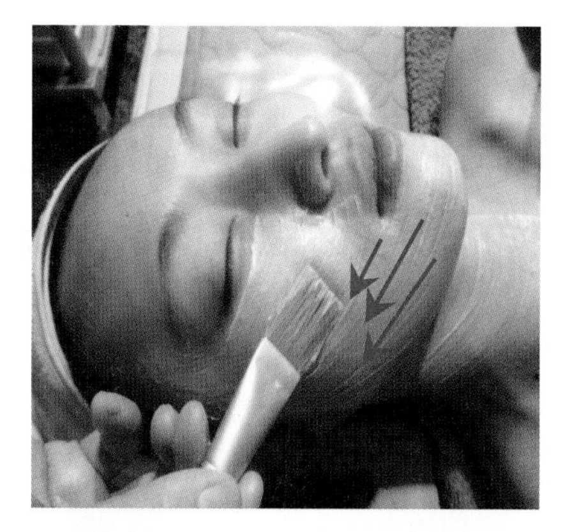

마스크 브러시를 이용하여 얼굴, 목, 가슴 부위를 일정한 두께로 도포한다.

《 팩 바르는 순서 》
브러시는 아래에서 위쪽으로, 안에서 바깥쪽으로 도포해준다.
턱, 볼, 코, 이마 순으로 도포해준다.

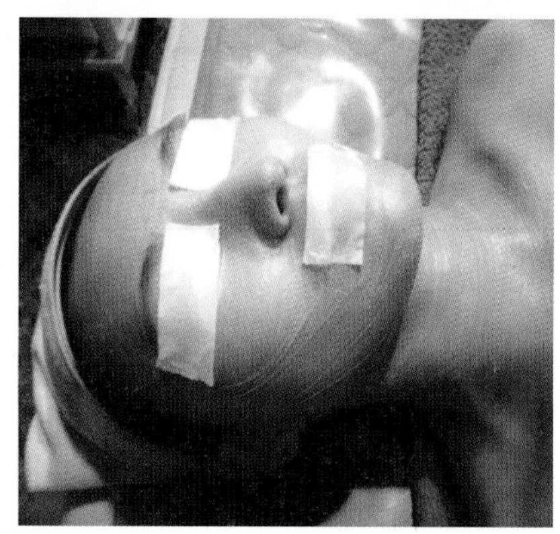

젖은 아이패드를 눈 위에 올려 준다.

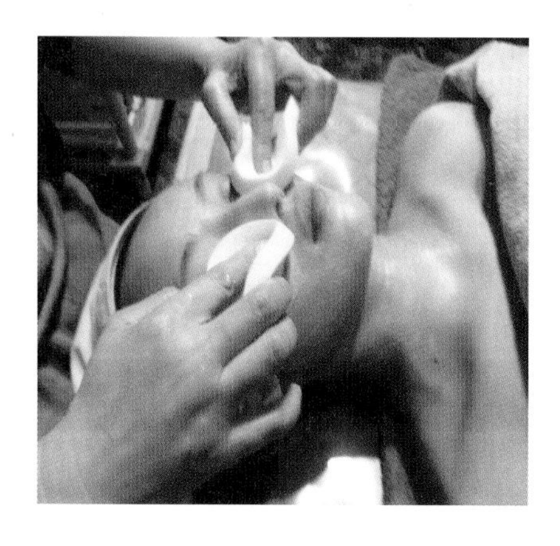

10 ~ 15분 경과 후 해면을 이용하여 깨끗이 닦아 준다.

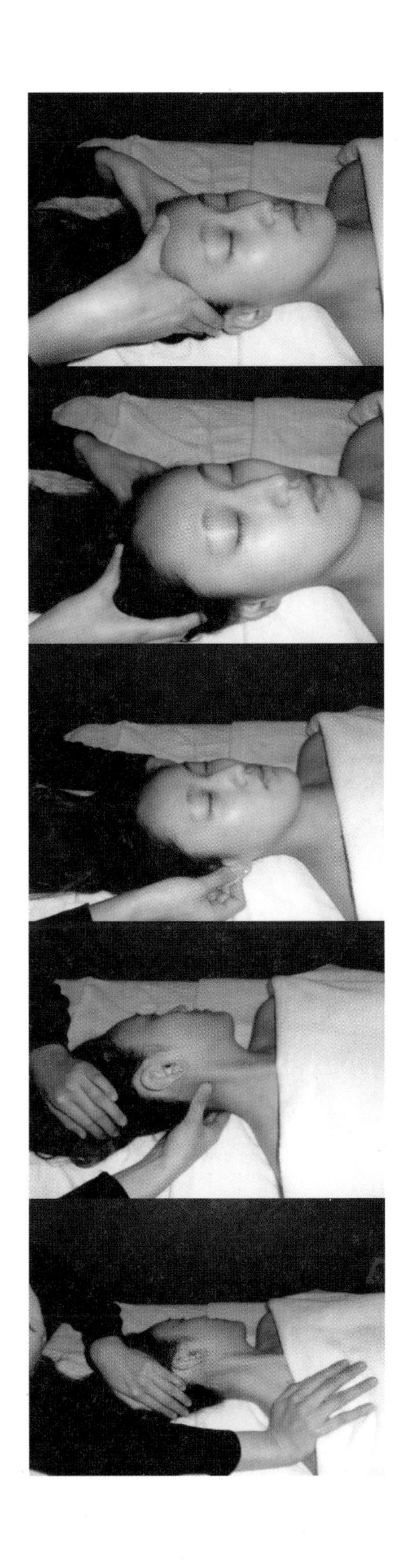

6. 마무리동작

모지부을 이용하여 신정부터 백회까지 천천히 지압한다.

손끝으로 전체 두피에 압을 주며 가볍게 꾹꾹 눌러준다.

가볍게 귀를 만져 풀어준다.

아문(목 뒤머리가 시작되는 부위)과 흉쇄 유돌근쪽의 뭉친 부분을 원을 그리며 천천히 풀어준다.

한손으로 머리를 받치고 한손으로 어깨를 지그시 밀어주며 스트레칭 한다.

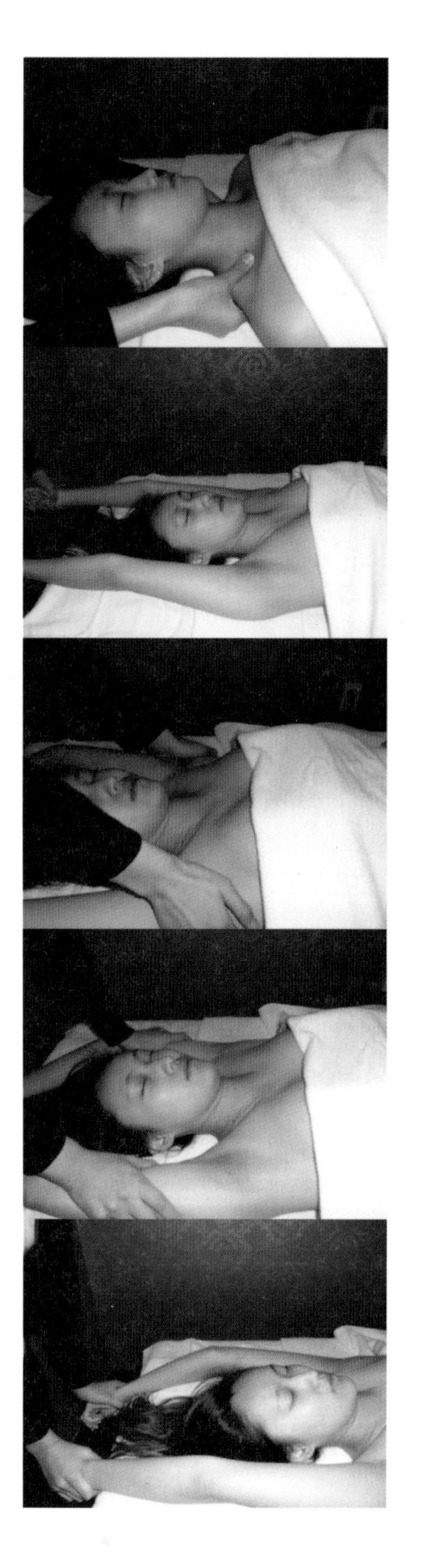

승모근을 엄지와 사지를 이용해 풀어준다.

양팔을 위로 당겨올려 스트레칭한다.

액와부위를 수근으로 지그시 눌러준다.

상완부도 지그시 눌러 풀어준다.

손목을 잡은 후 아프지 않을 정도로 뒤로 꺾어 스트레칭 한다.

II 전신 관리

1. 전신마사지의 이해

1.1 마사지의 효과

① 표피의 노화된 세포를 피부의 외표면으로 분리시켜 피부호흡과 영양상태를 개선시킨다.
② 근육을 이완시켜 근의 운동기능을 높이고 근의 피로를 풀어준다.
③ 관절과 인대의 탄력성, 내구성을 증가시키고 관절의 통증을 회복시킨다.
④ 림프액의 흐름이 개선되어 인체 내에 영양과 산소의 공급이 활발해진다.
⑤ 교감신경의 과도한 긴장을 완화시켜 비신체적 통증에도 효과를 준다.
⑥ 복부마사지를 통해 소화기능이 개선된다.
⑦ 피로회복에 효과가 있다.

1.2 마사지의 종류와 분류

1. 경락마사지 (Meridian Massage)
기의 흐름을 통한 인체의 유기적 관계에 근거해 신체에 나타나는 부조화와 불균형의 상태를 경락의 이용한 마사지로 치유함과 신체체형의 골격의 교정을 통한 수기요법을 실행하면서 피부관리를 함께 실시하는 종합수기법이다.

2. 스포츠마사지 (Sports Massage)
맨손으로 근육을 문지르거나 쓰다듬고 누르는 등 갖가지 방법으로 피부와 근육에 자극을 가해, 체내의 혈액과 임파액의 유통을 촉진시켜 과도하게 사용된 근육의 신진대사를 왕성하게 만들어 파괴된 모세혈관의 원상회복을 돕고, 근육피로를 단시간에 회복시켜주는 수기요법이다.

3. 발 마사지 (Foots Massage)
발바닥과 발등, 아킬레스건, 종아리의 반사구를 자극해 혈액순환을 촉진하는 수기요법이다. 혈액순환의 촉진, 생체에너지의 활성화로 피로회복에 효과적이다.

4. 타이마사지 (Tai Massage)
타이식 치료요법으로 손, 손가락, 팔꿈치, 발바닥 등을 이용하여 '센'이라고 하는 기의 통로에 중점을 두고 그 정체된 부분을 해소하여 몸의 활기찬 상태를 유지시켜주는 건강요법이다.

5. 스웨디시 마사지 (Swedish Massage)
체육적인 스트레칭과 부드러우면서도 섬세한 마사지로 심신에 평화와 안정을 주고 몸의 피로를 풀어주는 마사지 기법이다.

6. 지압마사지
우리 몸의 365개의 혈을 눌러 막혀 있는 혈을 풀어 혈액순환이 정상적인 흐름을 이어줌으로서 오장육부의 기능을 원할히 하여 건강한 신체 체형과 몸 상태를 유지하는 마사지이다.

7. 스톤 마사지(Stone Massage)
물, 공기, 불, 흙, 돌을 이용하여 자연의 에너지인 원 적외선을 우리 몸속에 마찰시켜 열을 발산시킴으로서 혈액순환을 원활하게 하는 마사지이다.

8. 딥 티슈 마사지 (Deep Muscle Massage)
근육, 근막, 인대에 초점을 맞추어 근육 깊은 곳을 자극하는 마사지 요법이다.

9. 아로마 테라피
식물에서 추출한 오일을 이용하여 전신에 바르고 문지르면서 식물이 함유하고 있는 향과 비타민을 이용, 심신의 안정을 도모하고 독소를 몸 밖으로 배출시킴으로서 몸의 피로를 풀어주고 각종 유해물질로부터 몸을 보호하는 마사지 기법이다.

1.3 전신 마사지의 기본동작

쓰다듬기 (Effleurage)
주로 마사지의 시작과 끝에 사용하는 동작으로, 손바닥을 둥글게 하여 피부 표면에 미끄러지듯 가볍고 부드럽게 쓰다듬는 동작

주무르기
주로 어깨, 복부, 대퇴부근육 마사지시 사용하는 동작으로, 엄지와 4지를 이용하여 지그재그로 주무른다. 표면 주무르기는 근육의 긴장완화에 효과적이며, 깊은 주무르기는 주로 내장기관 마사지를 할 때 사용하는 동작이다.

마찰하기
손바닥, 엄지, 손가락 끝으로 근육 결을 따라 누르면서 마사지하는 동작. 피부마찰을 통해 피부조직에 열을 발생시켜 순환을 촉진한다.

바이브레이션
주로 대퇴부위에 사용하여 단단한 근육을 이완시키는 동작. 엄지와 4지를 이용하여 좌우로 흔든다.

스트레칭 (Stretching), 견인 (Traction)
깊게 유착된 단단한 근육을 이완시켜 관절을 유연하게 하는 방법. 혈액순환을 촉진하고 근육 이완에 효과적인 방법이다.

깊은 누르기와 문지르기 (Deep pressure, Rubbing)
척추기립근, 비복근 등 경직이 많이 일어나는 부위에 많이 사용하는 동작으로, 천천히 깊게 눌러 근육을 풀어주는 동작이다.

2. 전신 근육의 이해

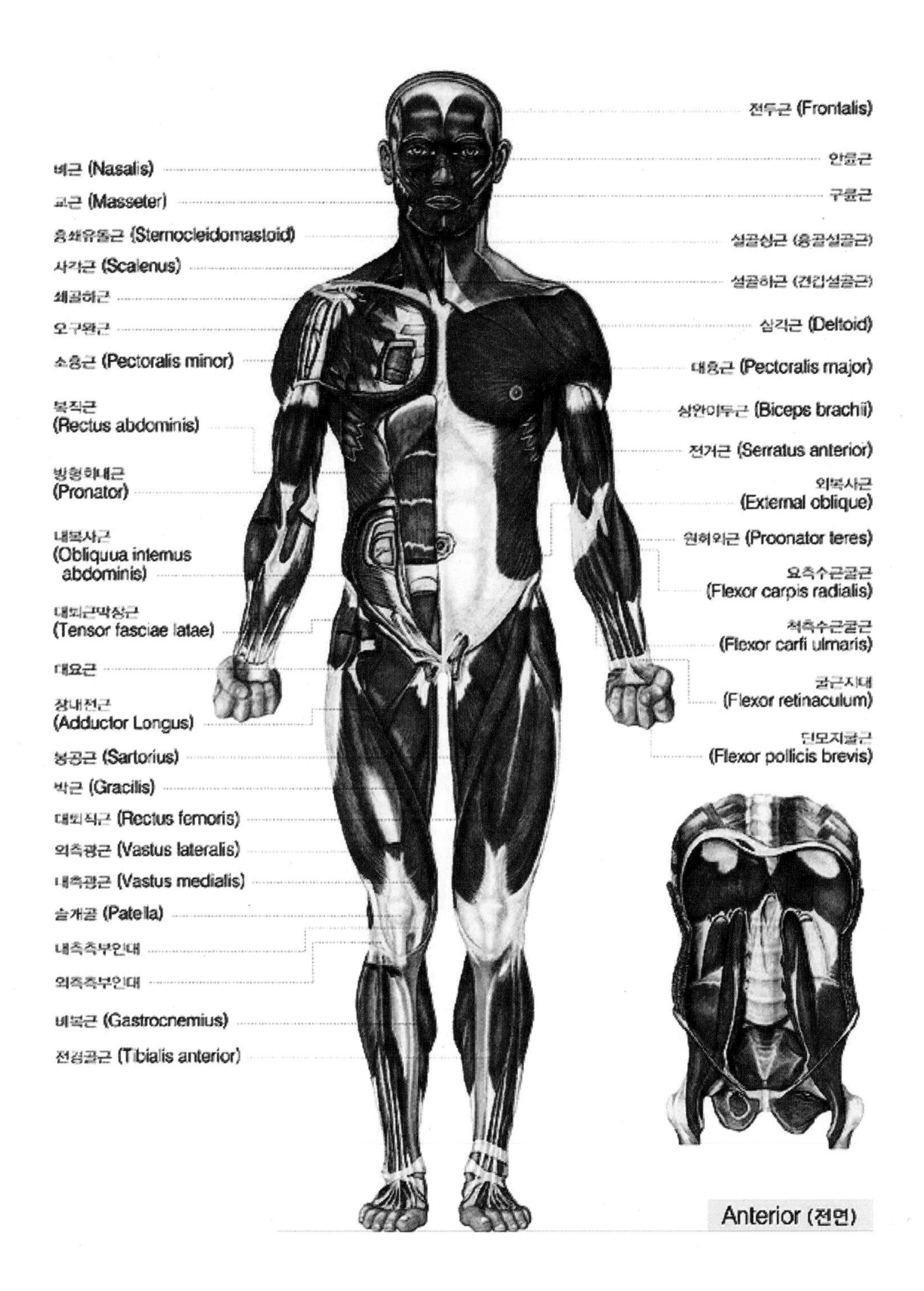
전두근 (Frontalis)
비근 (Nasalis)
안륜근
교근 (Masseter)
구륜근
흉쇄유돌근 (Sternocleidomastoid)
설골상근 (흉골설골근)
사각근 (Scalenus)
설골하근 (견갑설골근)
쇄골하근
오구완근
삼각근 (Deltoid)
소흉근 (Pectoralis minor)
대흉근 (Pectoralis major)
복직근 (Rectus abdominis)
상완이두근 (Biceps brachii)
전거근 (Serratus anterior)
방형회내근 (Pronator)
외복사근 (External oblique)
내복사근 (Obliquua internus abdominis)
원회외근 (Proonator teres)
요측수근굴근 (Flexor carpis radialis)
대퇴근막장근 (Tensor fasciae latae)
척측수근굴근 (Flexor carfi ulmaris)
대요근
굴근지대 (Flexor retinaculum)
장내전근 (Adductor Longus)
단모지굴근 (Flexor pollicis brevis)
봉공근 (Sartorius)
박근 (Gracilis)
대퇴직근 (Rectus femoris)
외측광근 (Vastus lateralis)
내측광근 (Vastus medialis)
슬개골 (Patella)
내측측부인대
외측측부인대
비복근 (Gastrocnemius)
전경골근 (Tibialis anterior)
Anterior (전면)

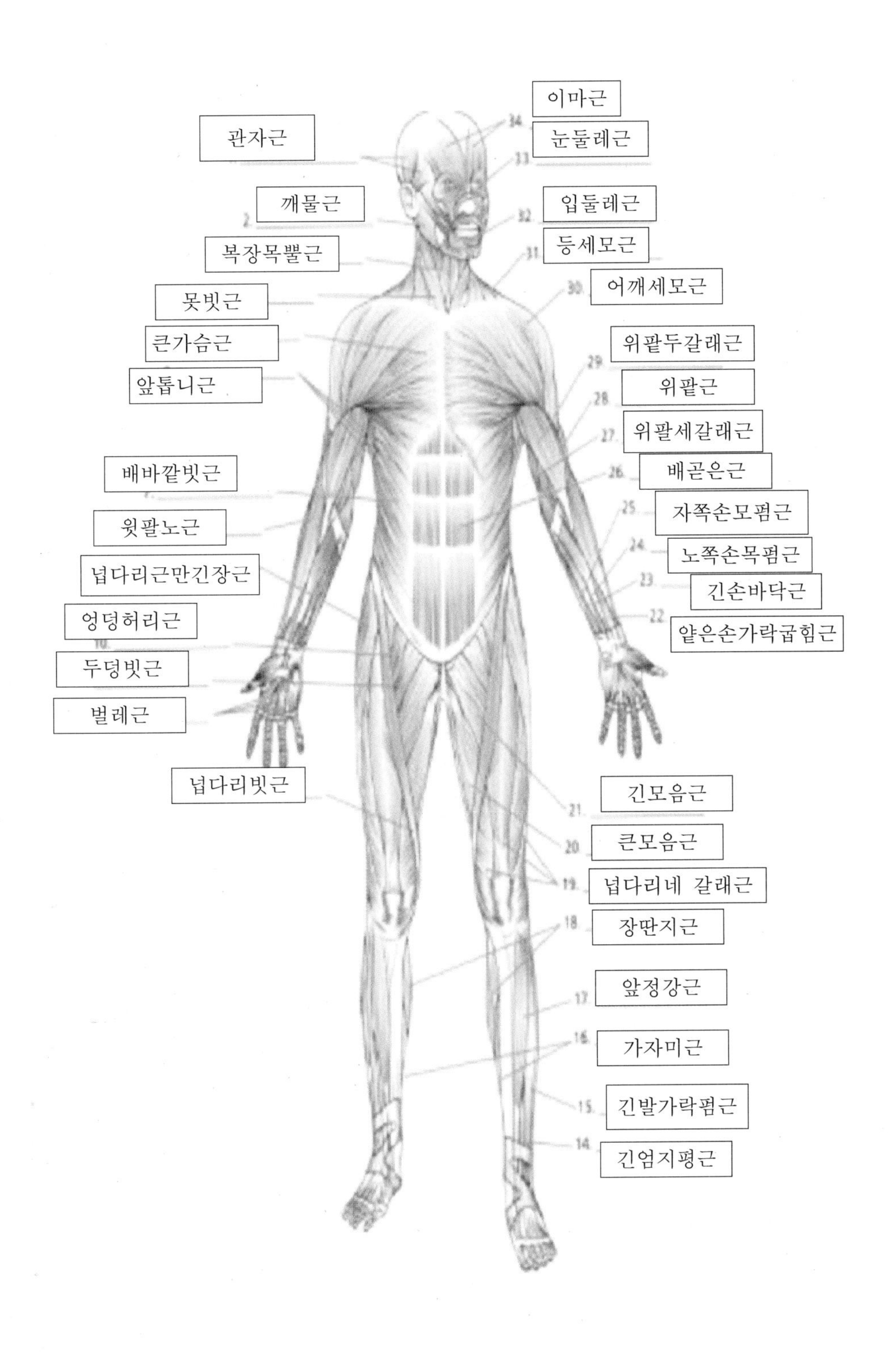
이마근
관자근
눈둘레근
깨물근
입둘레근
복장목뿔근
등세모근
목빗근
어깨세모근
큰가슴근
위팔두갈래근
앞톱니근
위팔근
위팔세갈래근
배바깥빗근
배곧은근
윗팔노근
자쪽손모폄근
넙다리근막긴장근
노쪽손목폄근
긴손바닥근
엉덩허리근
얕은손가락굽힘근
두덩빗근
벌레근
넙다리빗근
긴모음근
큰모음근
넙다리네 갈래근
장딴지근
앞정강근
가자미근
긴발가락폄근
긴엄지평근

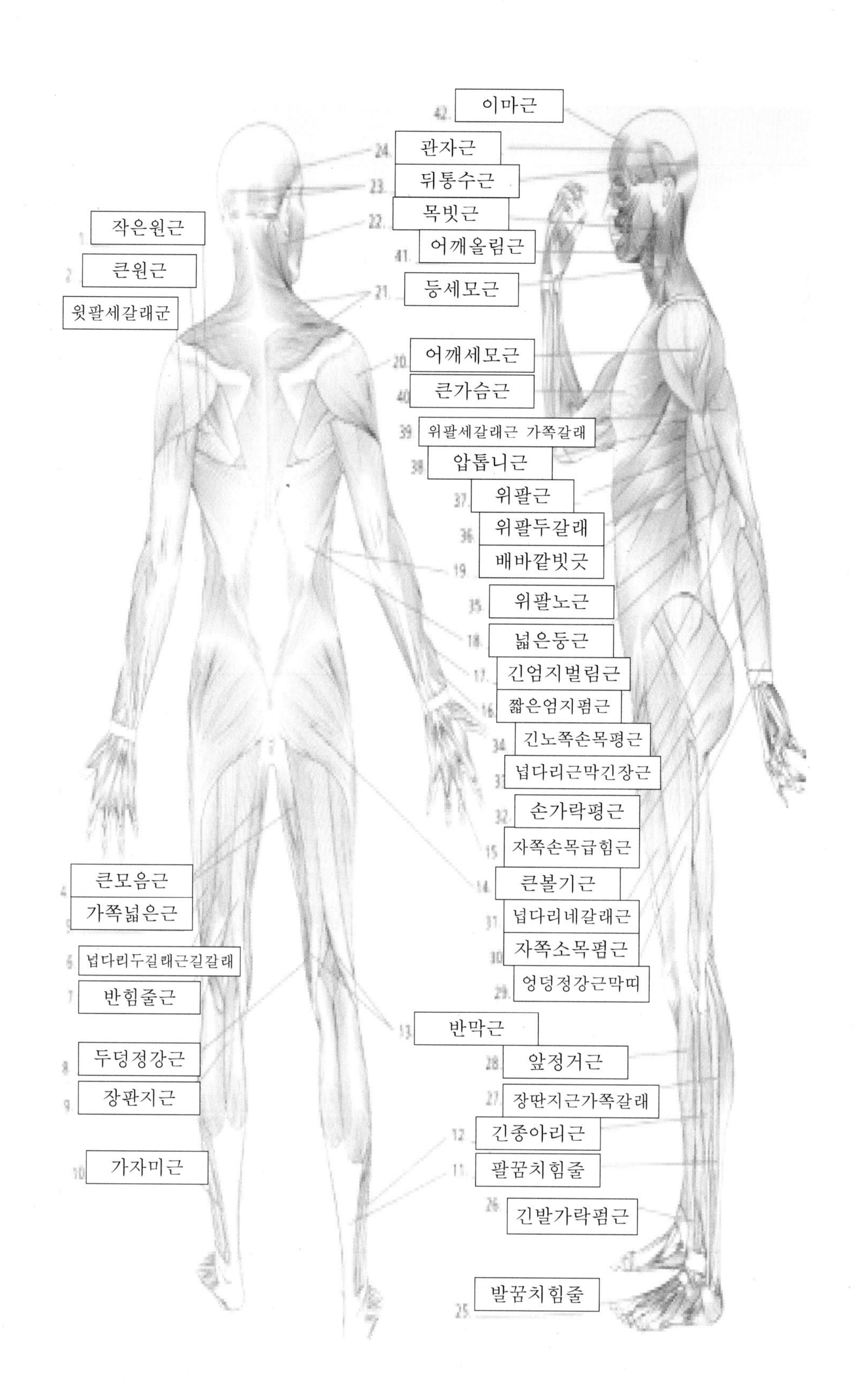
이마근
관자근
뒤통수근
목빗근
어깨올림근
등세모근
작은원근
큰원근
윗팔세갈래군
어깨세모근
큰가슴근
위팔세갈래근 가쪽갈래
압톱니근
위팔근
위팔두갈래
배바깥빗긋
위팔노근
넓은등근
긴엄지벌림근
짧은엄지폄근
긴노쪽손목평근
넙다리근막긴장근
손가락평근
자쪽손목급힘근
큰볼기근
큰모음근
가쪽넓은근
넙다리네갈래근
자쪽소목폄근
엉덩정강근막띠
넙다리두길래근길갈래
반힘줄근
반막근
두덩정강근
앞정거근
장판지근
장딴지근가쪽갈래
긴종아리근
가자미근
팔꿈치힘줄
긴발가락폄근
발꿈치힘줄

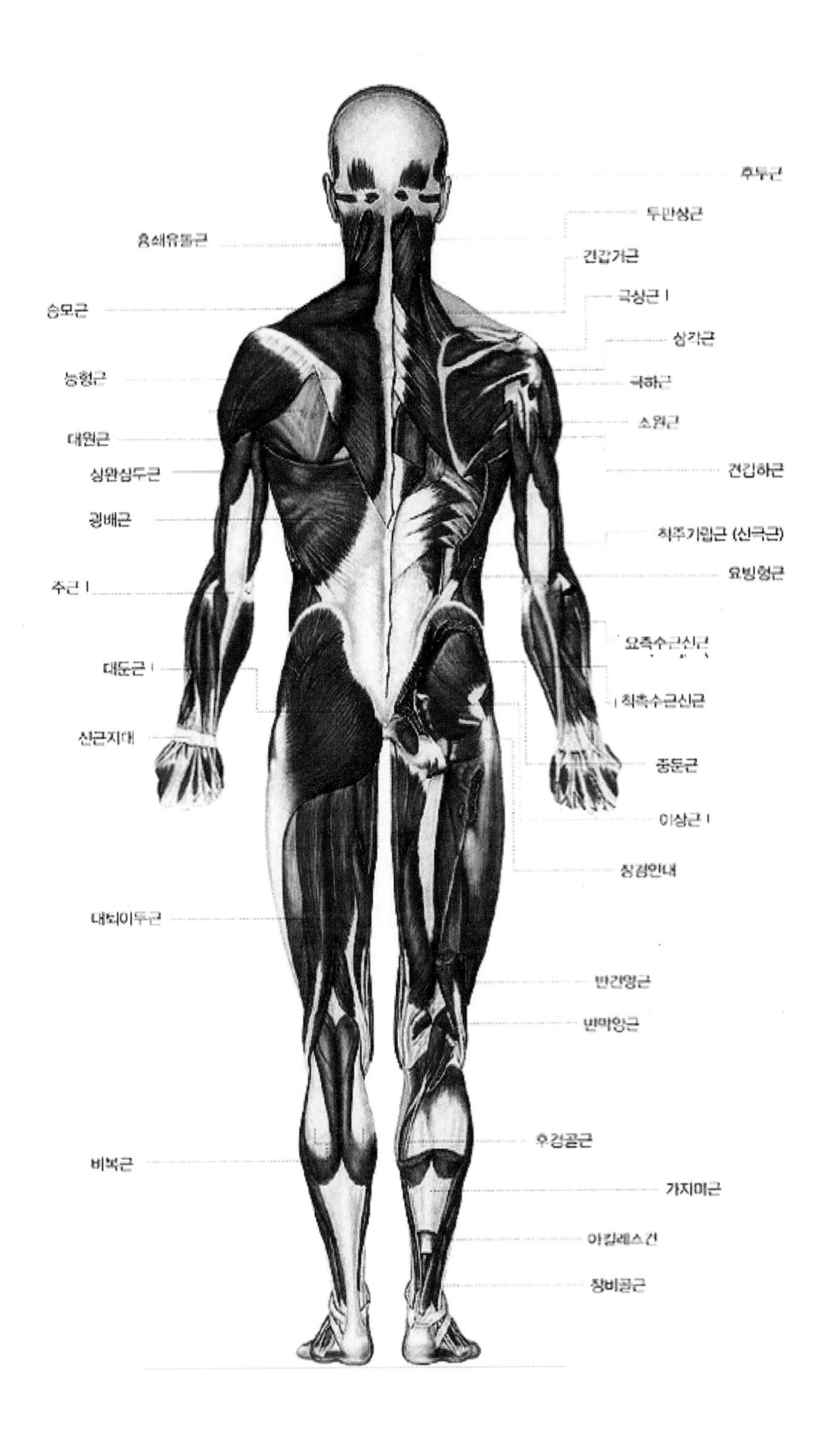
흉쇄유돌근
승모근
능형근
대원근
상완삼두근
광배근
주근
대둔근
신근지대
대퇴이두근
비복근
후두근
두판상근
견갑거근
극상근
삼각근
극하근
소원근
견갑하근
척주기립근 (신극근)
요방형근
요측수근신근
척측수근신근
중둔근
이상근
장경인대
반건양근
반막양근
후경골근
가지미근
아킬레스건
장비골근

근 육 명	기 시	정 지	작 용	지배 신경
승모근 Trapezius	후두골 상향선, 외후두 융기, 항인대, 제7경추~제12흉추의 극돌기	쇄골의 외측 1/3 지점, 견갑골의 견봉과 견갑극	견갑골을 위로 당기며 머리를 뒤나 옆으로 굽힌다.	부신경, 경신경
광배근 Latissimus dorsi	제7흉추~ 제5유추의 극돌기, 흉요근막, 장골	상완골의 소결절능	상완의 내측회전과 내전에 관여한다	흉배신경
견갑거근 Levator scapulae	제1~4경추의 횡돌기	견갑골의 상각	견갑골을 위로 당긴다.	견갑배신경
소능형근 Rhomboid minor	항인대, 제6~7경추의 극돌기	견갑골 내측연의 상부	견갑골을 내상방으로 당긴다.	견갑배신경
대능형근 Rhomboid major	제1~4흉추의 극돌기	견갑골 내측연의 하부	견갑골을 내상방으로 당긴다.	견갑배신경

피부미용사 기출문제

34. 승모근에 대한 설명으로 틀린 것은? 정답:(다)

가. 기시부는 두개골의 저부이다.
나. 쇄골과 견갑골에 부착되어 있다.
다. 지배신경은 견갑배신경이다.
라. 견갑골의 내전과 머리를 신전한다.

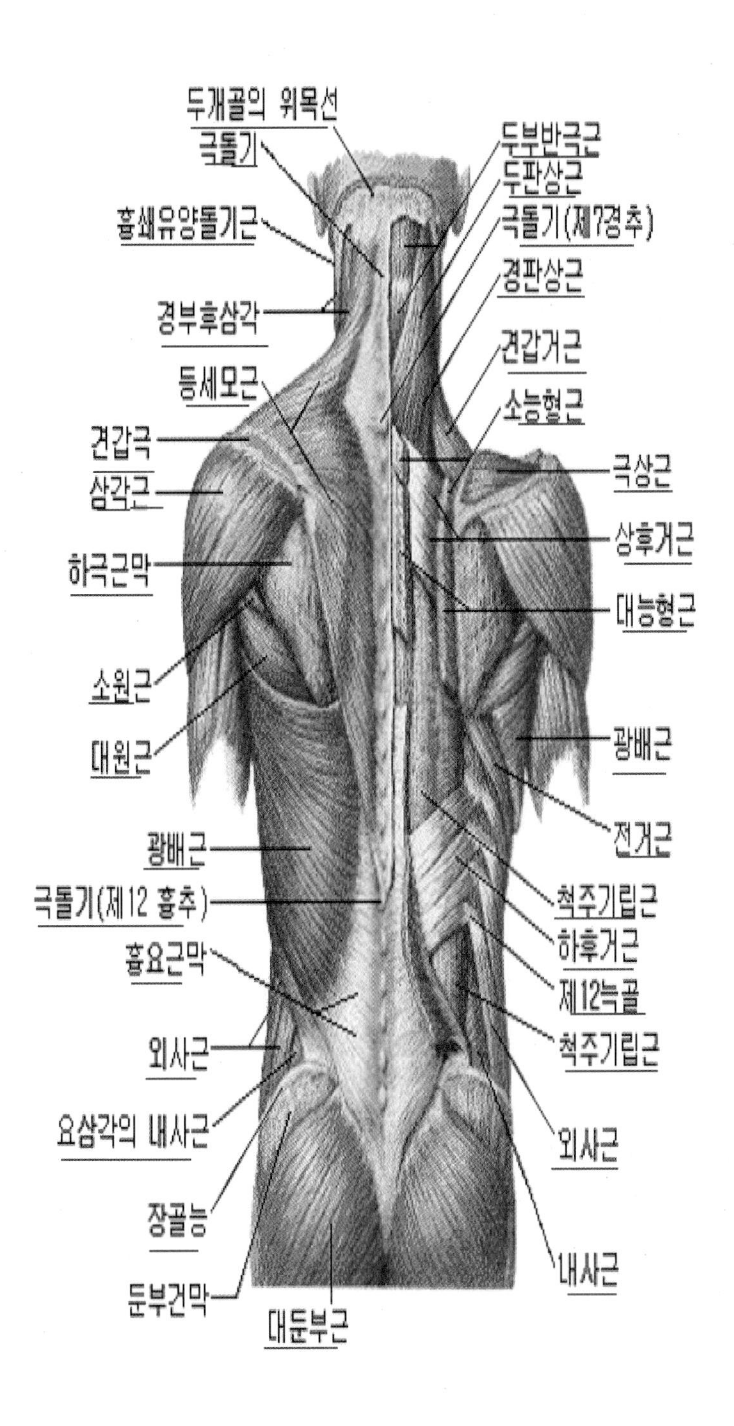
두개골의 위목선
극돌기
흉쇄유양돌기근
경부후삼각
등세모근
견갑극
삼각근
하극근막
소원근
대원근
광배근
극돌기(제12 흉추)
흉요근막
외사근
요삼각의 내사근
장골능
둔부건막
대둔부근
두부반극근
두판상근
극돌기(제7경추)
경판상근
견갑거근
소능형근
극상근
상후거근
대능형근
광배근
전거근
척주기립근
하후거근
제12늑골
척주기립근
외사근
내사근

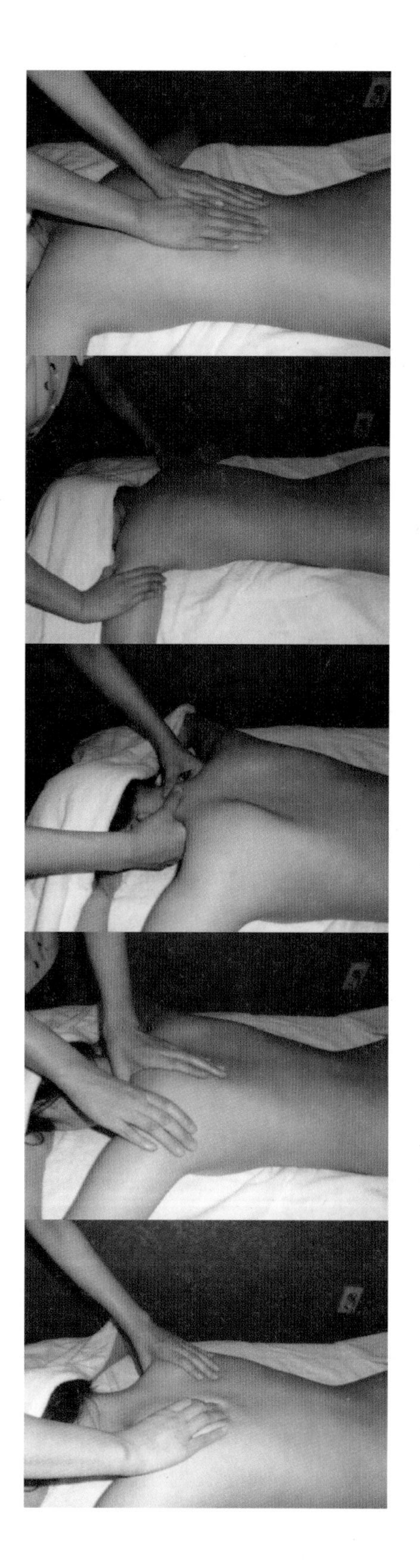

3. 등 관리

오일 도포 후 척추 옆을 따라 엉덩이까지 내려 갔다가.

전체적으로 쓰다듬은 후 겨드랑이로 빼고 상완부 까지 도포한다.

주먹을 살짝 쥔 후 승모근 주위의 압을 주어 마찰한다.

한 쪽 어깨를 양손을 밀착 후 승모근과 상완부를 함께 쓰다듬는다.

모지부을 이용하여 약간의 압을 주어 승모근을 지압한다.

【실습 순서】

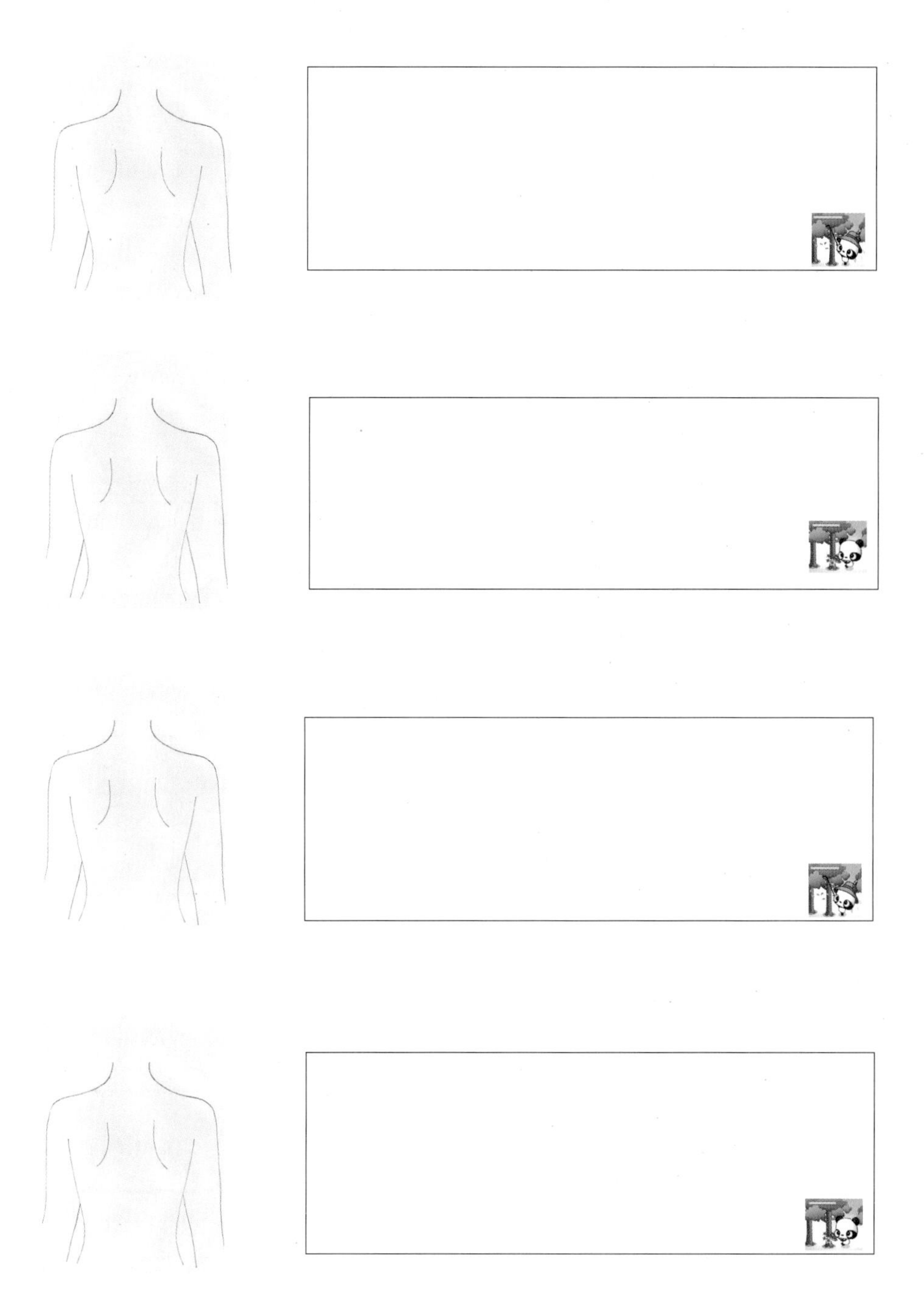

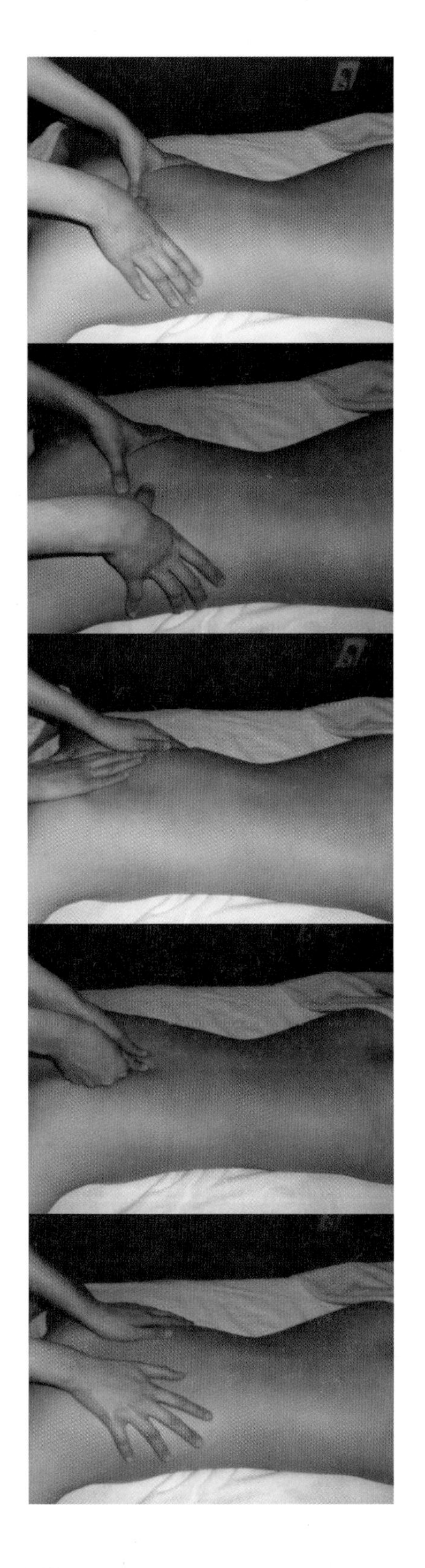

양 엄지를 이용하여 척추를 쓸어내리고 둔부로 내려와 감싸 올라가 어깨를 쓸어 내린다.

양 엄지를 이용하여 척추 사이사이에 지그재그 압을 주며 쓸어내리고 둔부를 감싸고 어깨를 쓸어내린다.

견갑골 라인에 압을 주어 마찰한다.

양 주먹에 힘을 뺀 상테에서 체중을 실어 기립근을 마찰하는 것을 여러번 반복한다.

양 손 끝에 압을 주어 늑골 사이사이를 쓸어내린다.

【실습 순서】

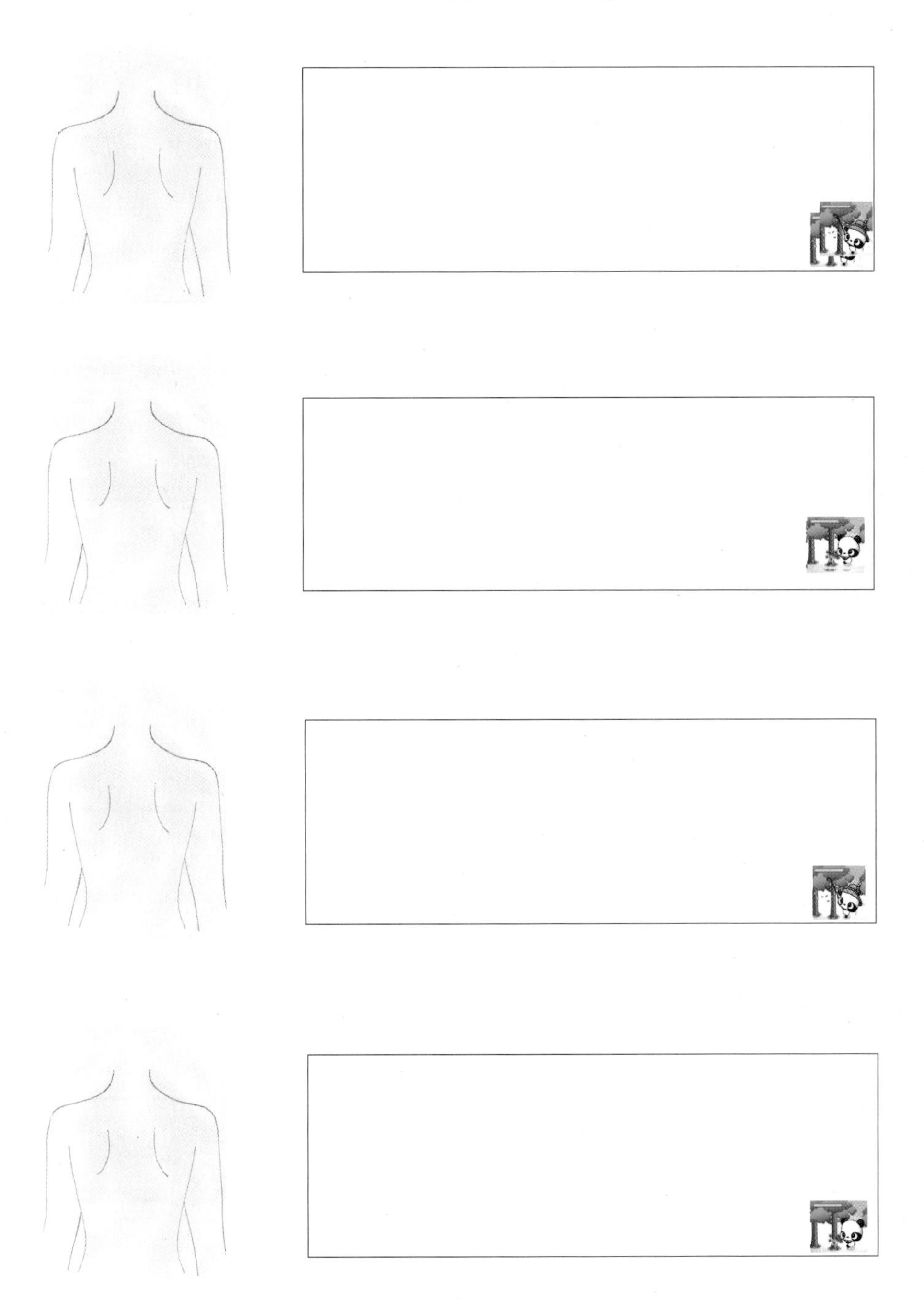

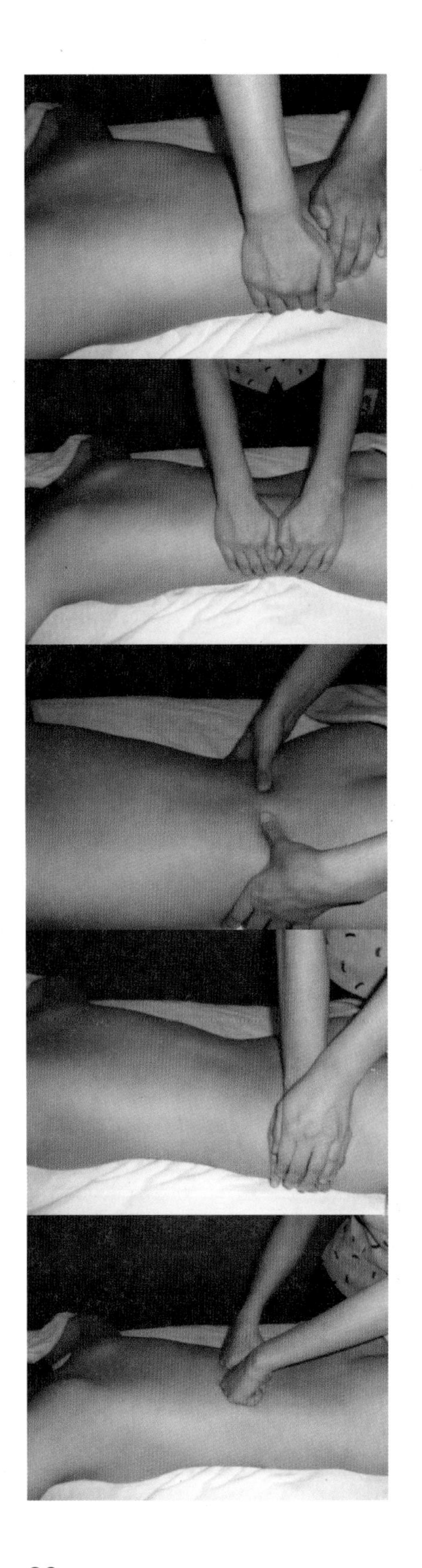

양손을 맞잡고 교대로 옆구리를 주물러 반죽한다.

양 손바닥을 밀착하고 4지로 압을 주어 끌어올리고 반대편에서 모지복에 압을 주고 끌어올림을 반복한다.

요추부위를 양 엄지를 이용하여 원을 그려 마찰한다.

양손늘 뇨개 손 끝에 압을 준 후 골반라인에서 부터 척추쪽으로 밀어준다.

장골 부위를 쓸어 준 후 장골능을 각근으로 자극 한 뒤.

【실습 순서】

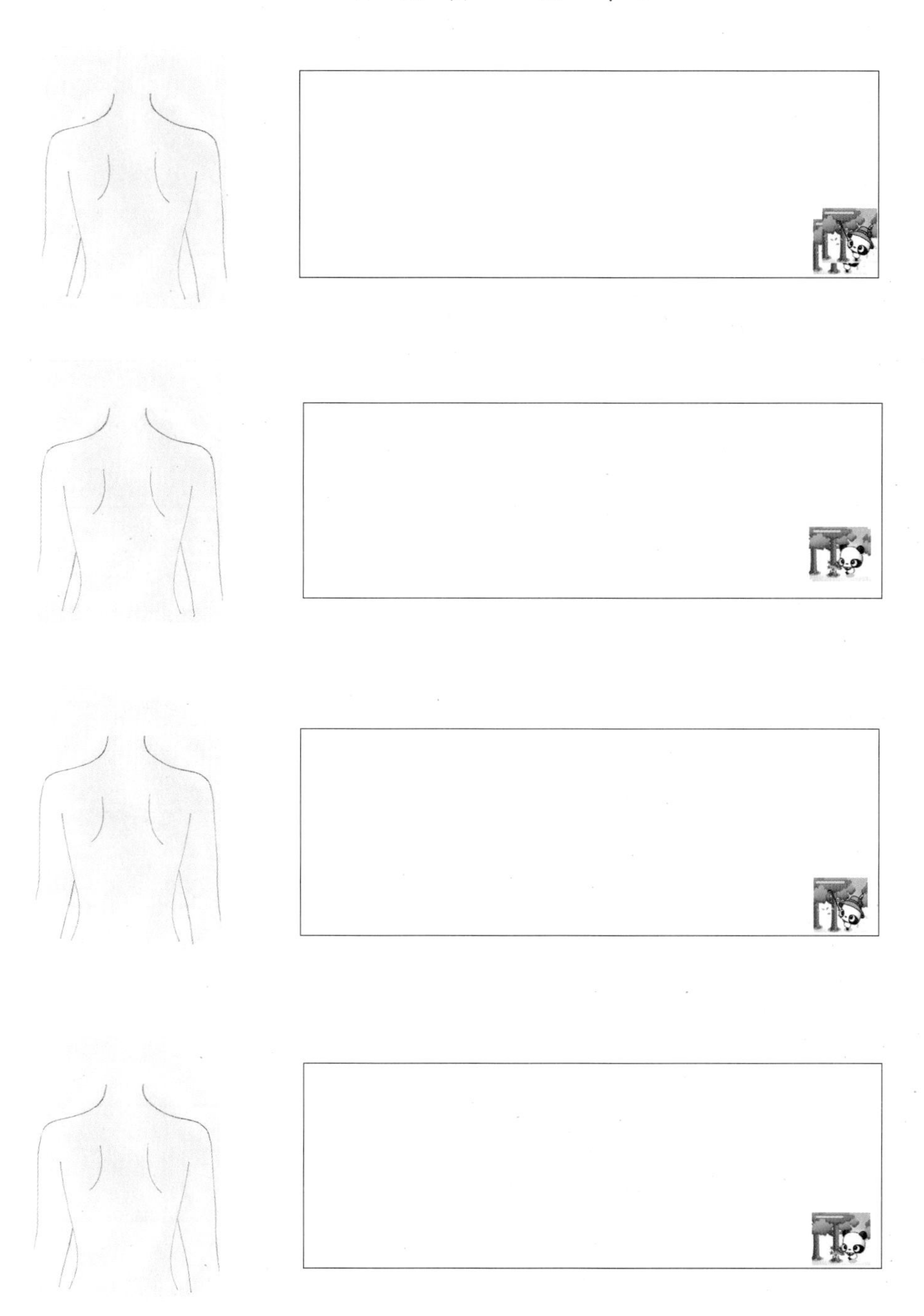

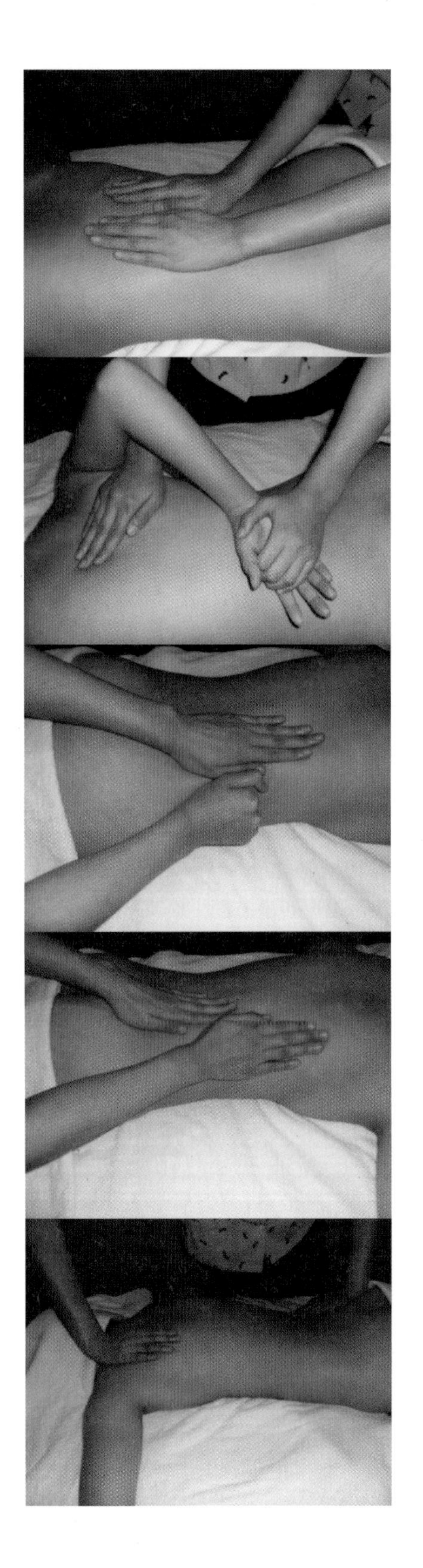

손바닥으로 쓸어 올리며 풀어 준다.

손을 잡고 허리 쪽에 위치한 후 견갑골에 손을 넣은 뒤 무리가 가지 않을 정도로 만 스트레칭을 한다.

한 손바닥을 밀착 후 외측에 각권을 밀착하여 약간의 압을 준 후 쓸어 올린다.

양 손바닥을 밀착 후 쓸어 올린 후 액와쪽으로 버려준다.

양 손바닥을 밀착 후 압을 주면서 등중앙에서 부터 대각선 방향으로 밀어주며 스트레칭 한다.

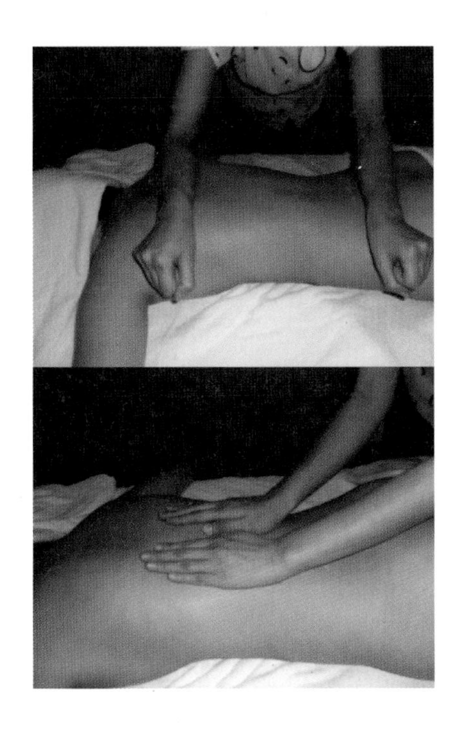

척부에 체중을 실어 중앙에서 양끝방향으로 밀어주며 스트레칭 한다.

양 손바닥을 밀착 후 허리에서부터 위로 쓰다듬어 올라가 어깨를 감싸고 다시 허리측면을 따라 내려오며 마무리한다.

【실 습 순 서】

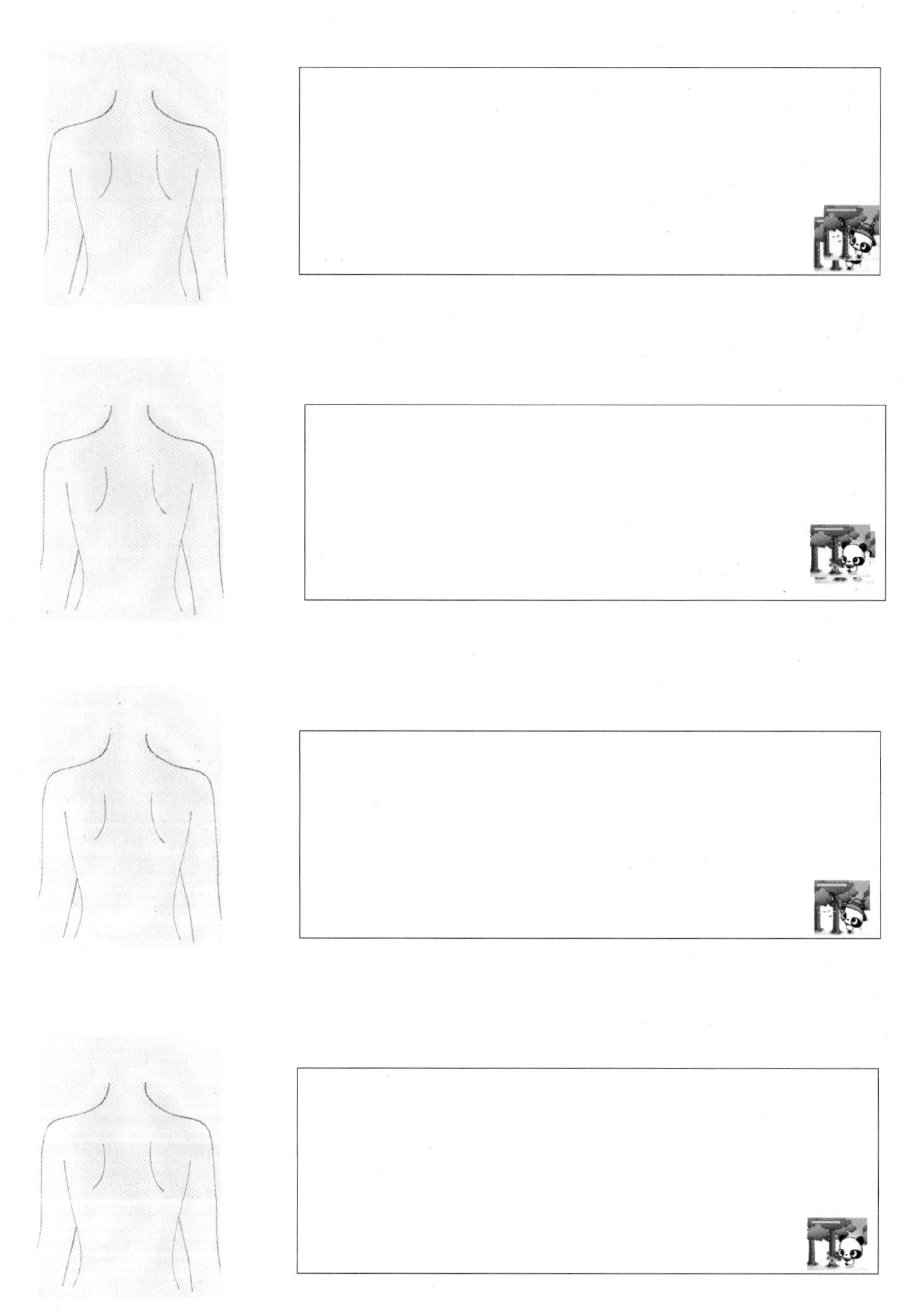

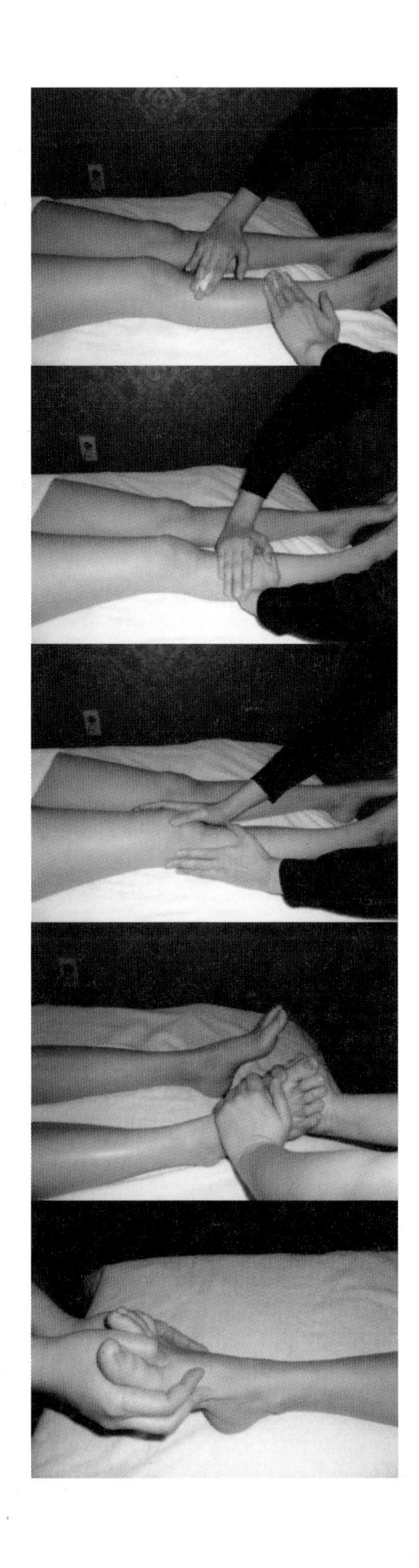

4. 다리 관리-앞면

준비사항

1. 크림이나 오일을 유리볼에 덜어 놓는다.
2. 몸에 제품을 도포 하기 전, 따뜻하게 온도를 조절한다.

바디클렌저로 다리를 닦아준다.

오일을 다리 후면에 골고루 도포한다. 징검다리 짚어주기를 양손을 사용하여 올려주며 다리 후면 까지 쓸어 올린다.

양쪽 측면을 따라 발끝까지 내려준다. (오일이 골고루 도포 될 때까지)

한 손은 발바닥, 한 손은 발등에 놓고 위 아래로 마찰한다.

양 손을 1,5발가락에 두고 손바닥을 컵 모양으로 만들어 좌우로 흔들어 준다.

【실습 순서】

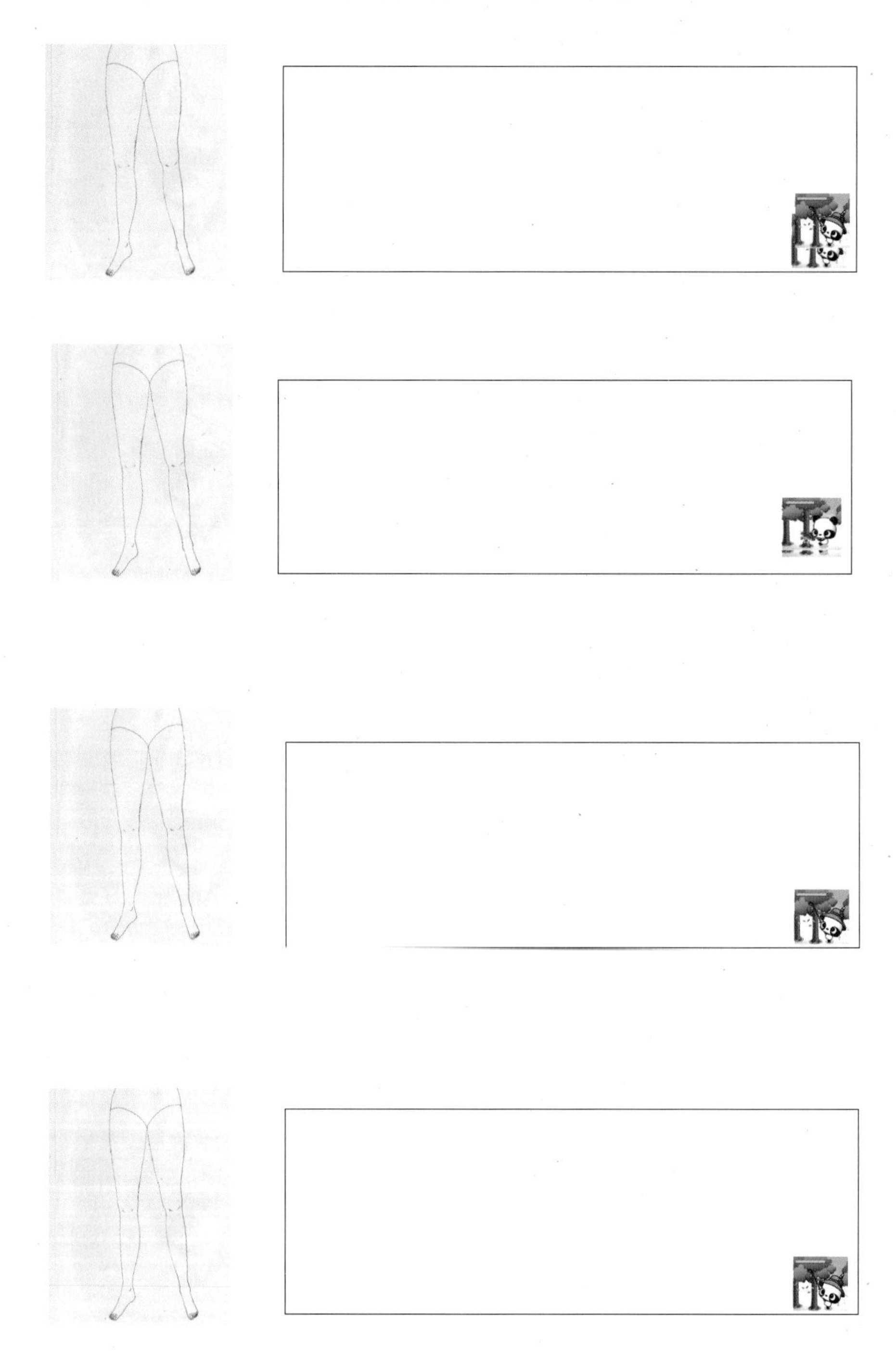

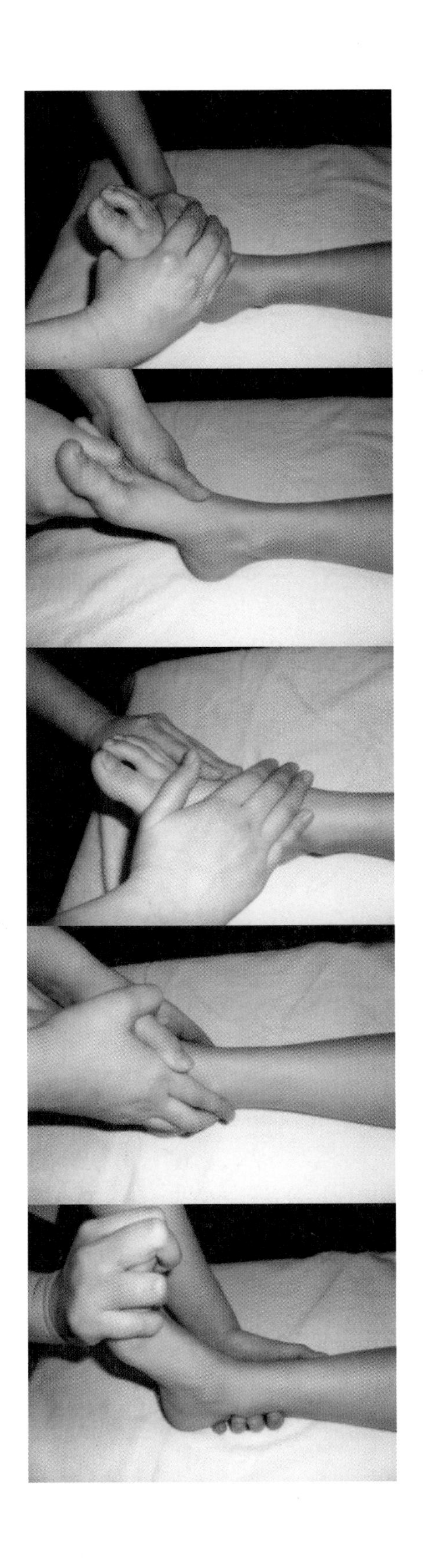

양손 4지는 발등에 두고 엄지는 발바닥에 둔 채로 발바닥과 발등을 동시에 빼듯이 자극 한다

한 손은 발바닥을 받치고 다른 손 4지로 중족골 사이사이 건을 가볍게 원을 그려준다.

양 4지를 발등 위, 엄지는 발바닥쪽에 두고 발등에 반원을 그리듯 쓸어준다.

양 사지로 복사 뼈 뒤를 아래위로 쓸어준다.

한 손은 발목을 잡고 한 손은 쪽을 잡고 약하게 앞, 뒤로 누른다. 발가락 전체를 뒤로 젖혔다 앞으로 오므렸다 한다. 3회 반복한다.

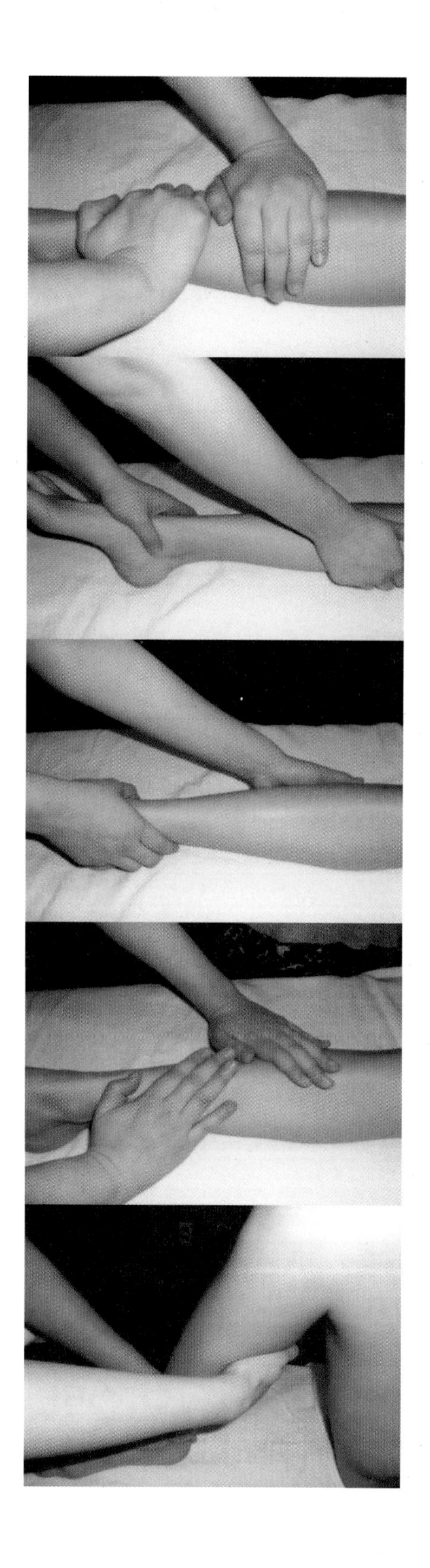

길게 쓸어 올렸다가 양쪽 측면을 따라 내려오는 쓸어주기 동작을 6회 반복한다.

한 손으로 발목 안쪽에서 누르고 다른 손바닥으로 발목서 무릎까지 쓰다듬기 한다.

바깥쪽도 같은 방법으로 한다.

양손바닥으로 동시에 원 모양을 그리면서 발목에서 무릎까지 올라왔다가 내려온다.

다리를 90도로 세운다음 양손목으로 비복근을 위 아래로 리드미컬하게 깊은 쓰다듬기 한다.

【실습 순서】

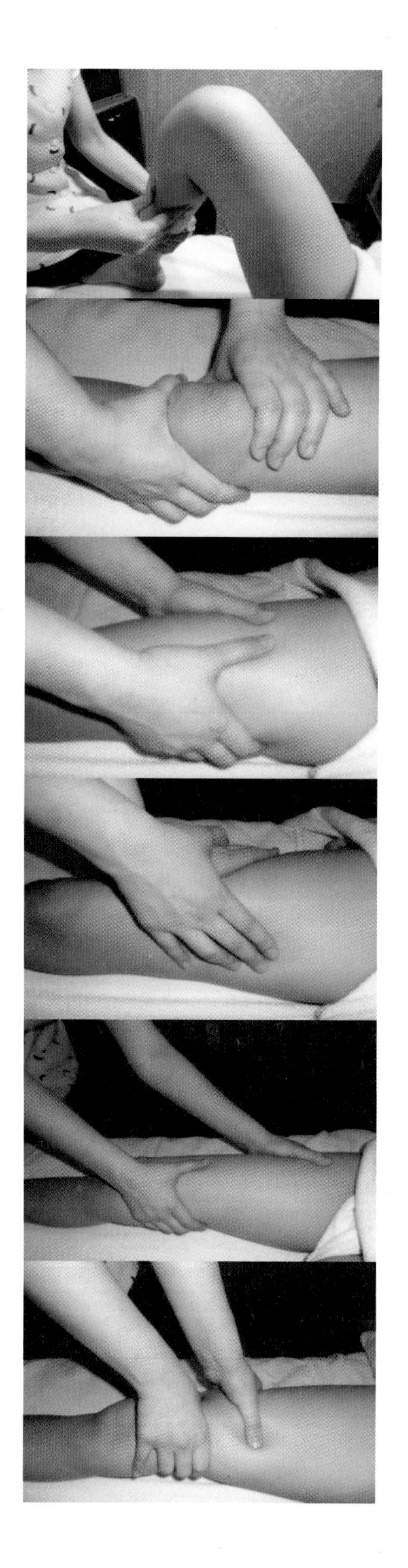

양 손으로 빠르게 종아리 근육을 손가락 끝을 이용해 바깥쪽으로 튕겨준다.

한 손으로 무릎 아래, 위를 한 손씩 누르듯이 돌려준다.

상부 다리를 무릎까지 쓰다듬어 내려온 후 무릎 뒷부분을 원을 만들어 돌려준다.

양 손바닥이 V자 모양으로 위로 쓰다듬기 한다. 내려오면서 무릎 뒤를 쓰다듬는다.

한 손은 무릎에 두고 한 손씩 상부 다리를 쓰다듬는다.

양손의 손바닥과 손끝을 이용해 빠르고 리드미컬하게 이도하며 싸듯이 문지른다.

【실습 순서】

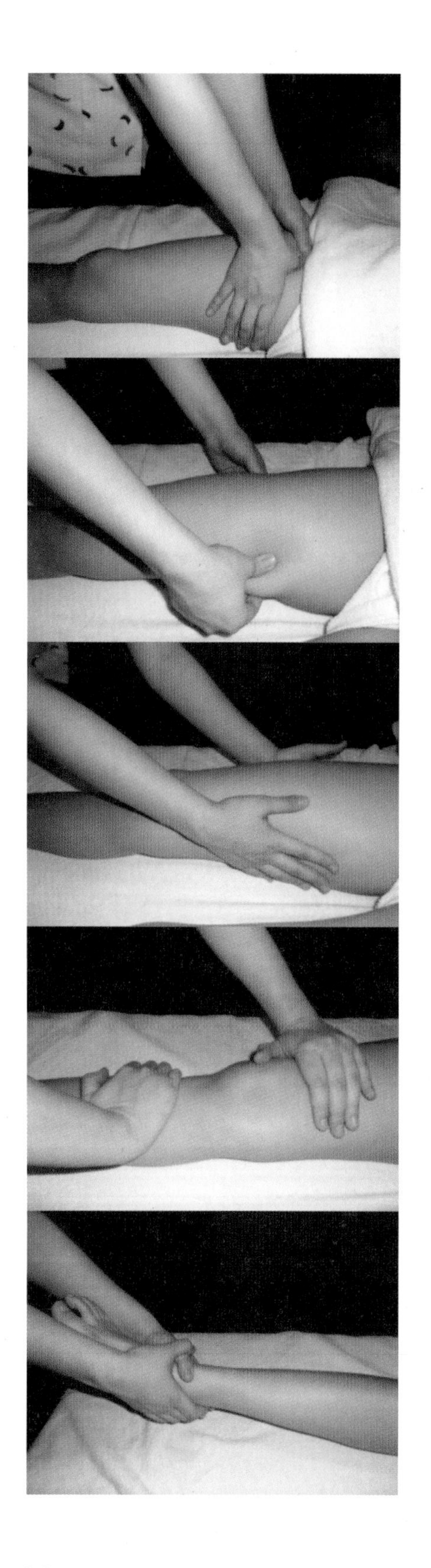

상부다리를 안쪽, 바깥쪽, 중간으로 3등분하여 양손을 교차하며 누르듯이 주무른다.

양 손을 집게 모양으로 만들어 천천히 골고루 뽑아준다. (핀칭)

손으로 상부 양쪽을 잡고 아래 위로 이동하며 바이브레이션 준다.

다리 전체를 쓰다듬기 한다.

발목을 잡고 다리 전체를 가볍게 흔들어 준다. 온습포, 화장수를 사용하여 마무리한다.

【실습 순서】

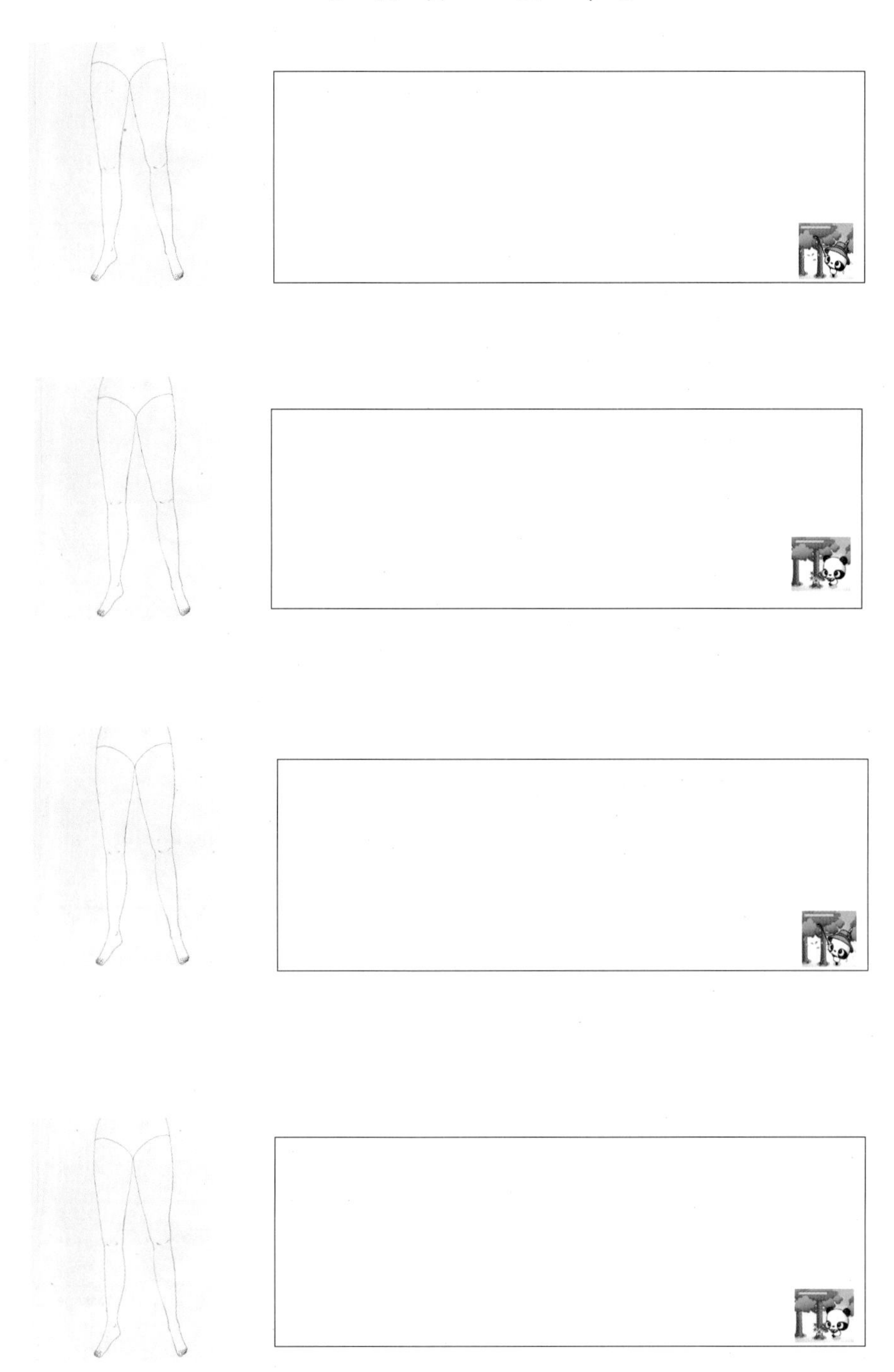

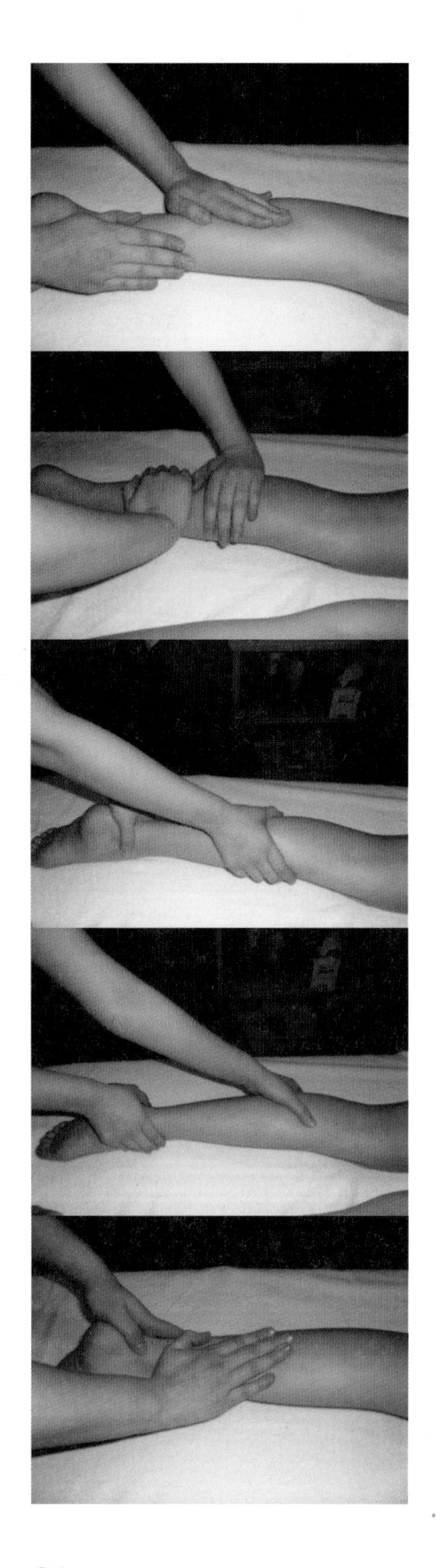

다리 뒤쪽

오일을 양손을 사용하여 오일을 도포하여 준다.

양손으로 징검다리 모양으로 쓸어 올려준다.

한손으로 발목을 잡아 고정하고, 다른 한손은 밖에서 안으로 쓰다듬는다.

한손으로 발목을 잡아 고정하고, 다른 한손은 안에서 밖으로 쓰다듬는다.

다리 측면을 감싸고 내려온다.

【실습 순서】

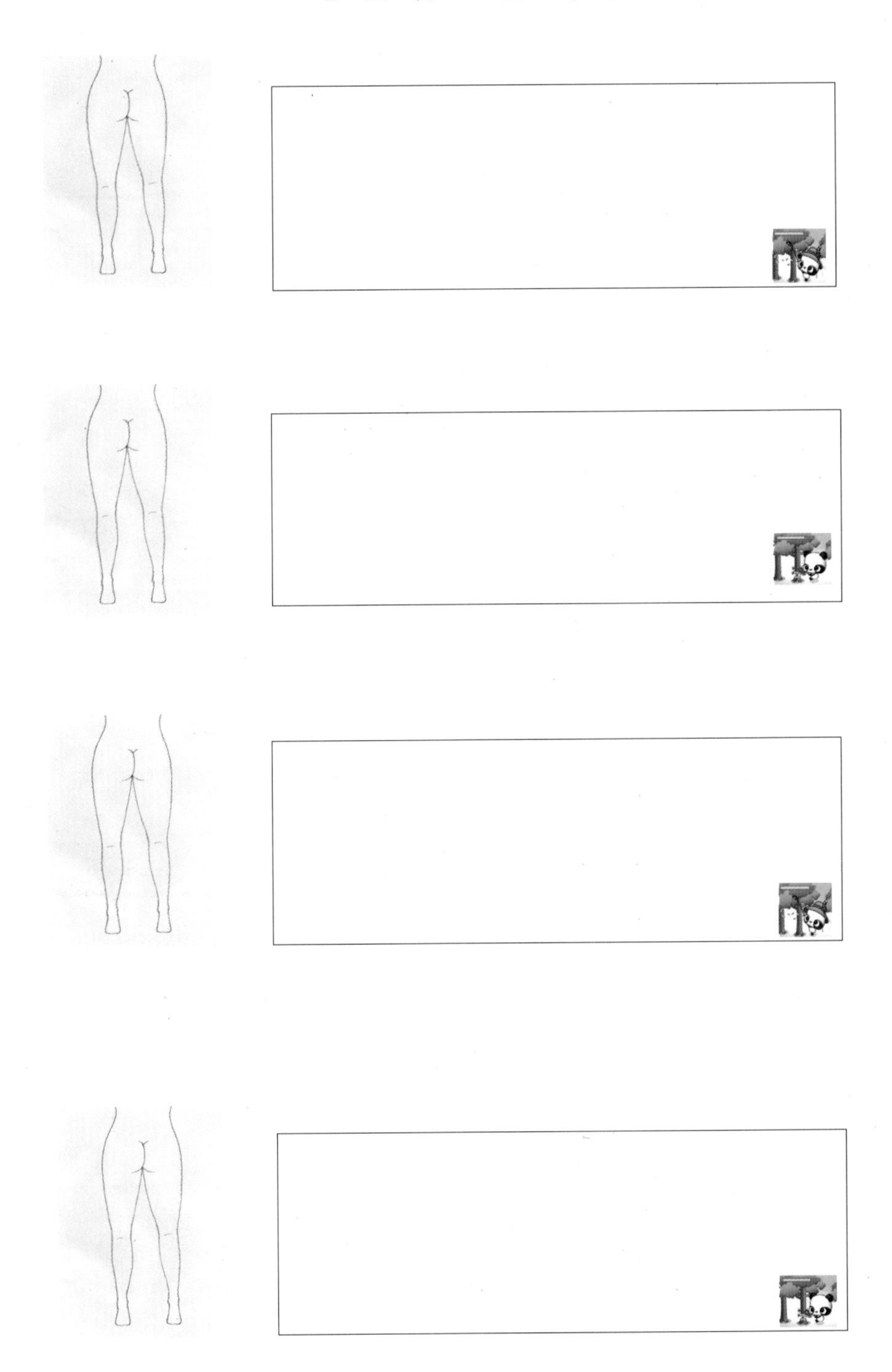

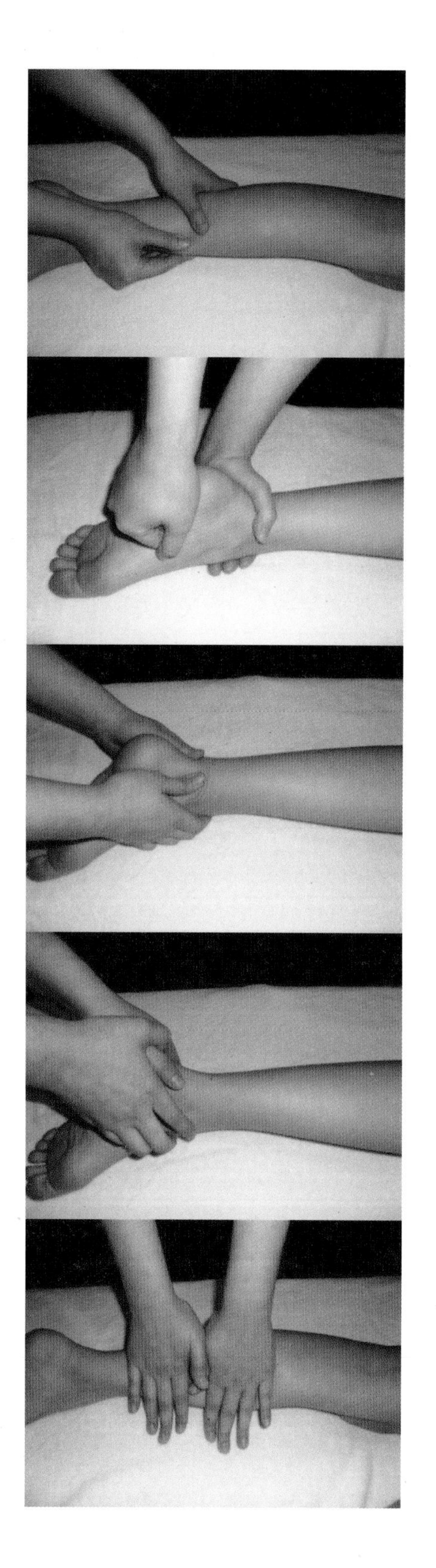

양엄지가 지그제그가 되도록 가지치기를 해준다.

한손은 발목을 잡아 고정하고 주먹을 이용하여 발바닥 전체를 문지르며 내려간다.

염 엄지를 이용하여 아킬레스건 부분을 문지른다.

양손의 중지, 약지를 이용하여 복사뼈 부위에 원을 그리며 문지른다.

양손바닥 수근을 이용하여 다리를 밀어준다.

【실습 순서】

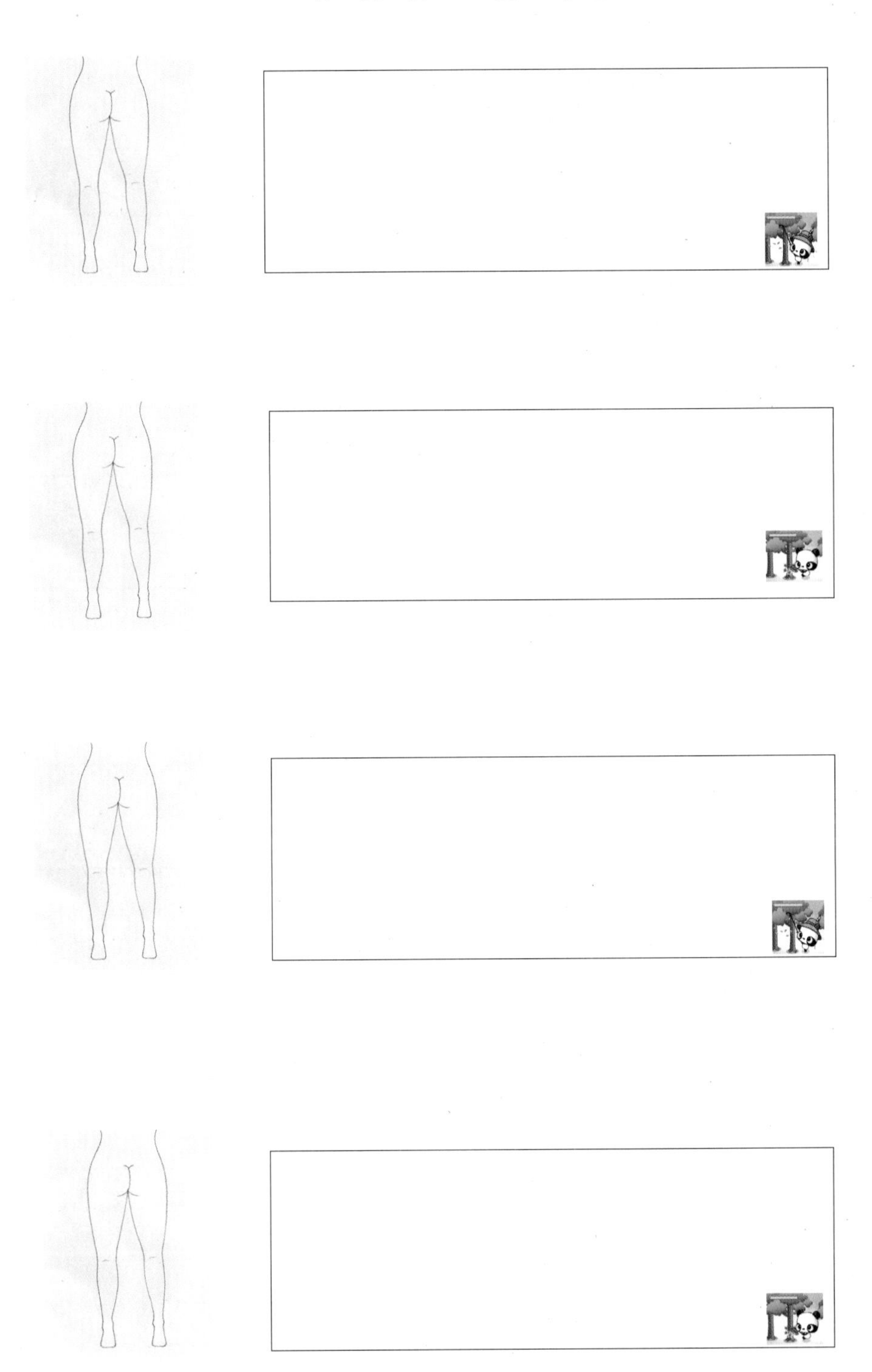

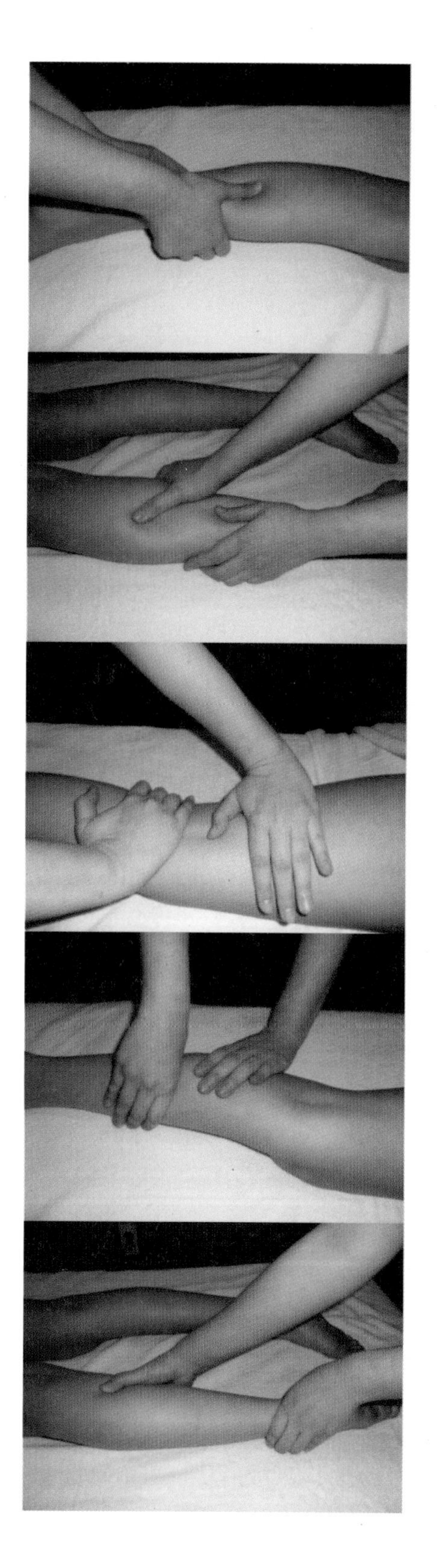

양엄지를 이용하여 비복근을 쓸어 올라 간다,

양 엄지를 교대로 이용하여 비복근 사이를 원그리듯이 문지른다.

양손바닥을 이용하여 발목에서부터 허벅지 까지 쓸어 올려준다.

양 손바닥을 교대로 이용하여 종아리 부분을 비틀어 반죽한다.

다리 측면 한번씩 쓸어준다.

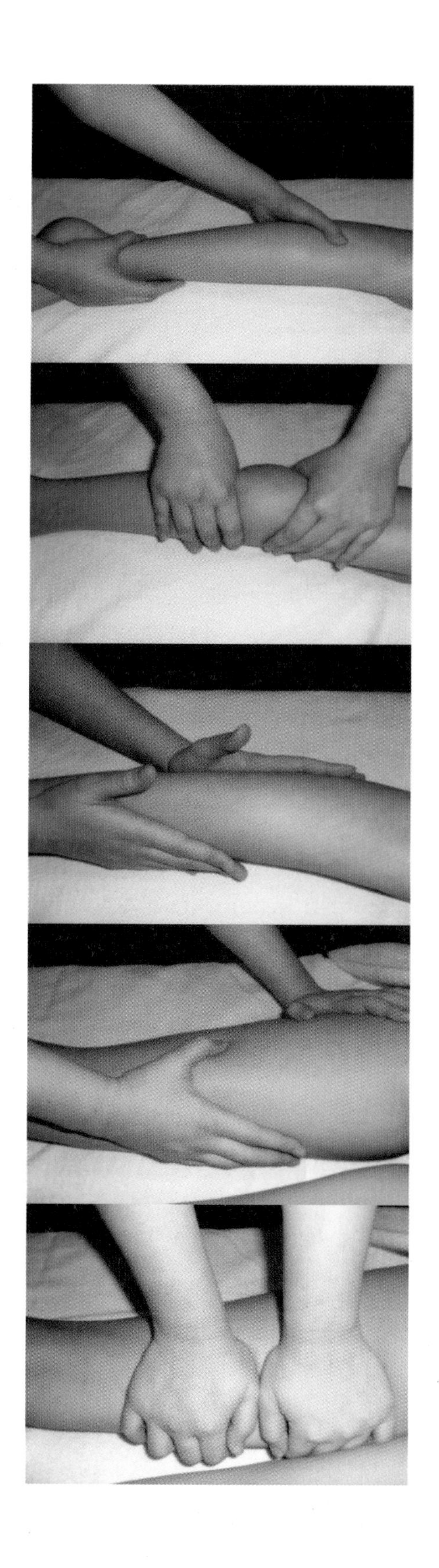

반대쪽 다리측면도 잘 쓸어준다.

양손을 교대로 종아리부분을 맞잡아 모아주듯 반죽한다.

양손바닥을 이용하여 발목에서부터 허벅지 까지 쓸어 올려준다.

한손을 다리에 밀착하고 한손은 동그랗게 원을 그리며 마사지 해준다.

양수근을 이용하여 허벅지를 내려주며 반죽한다.

【실습 순서】

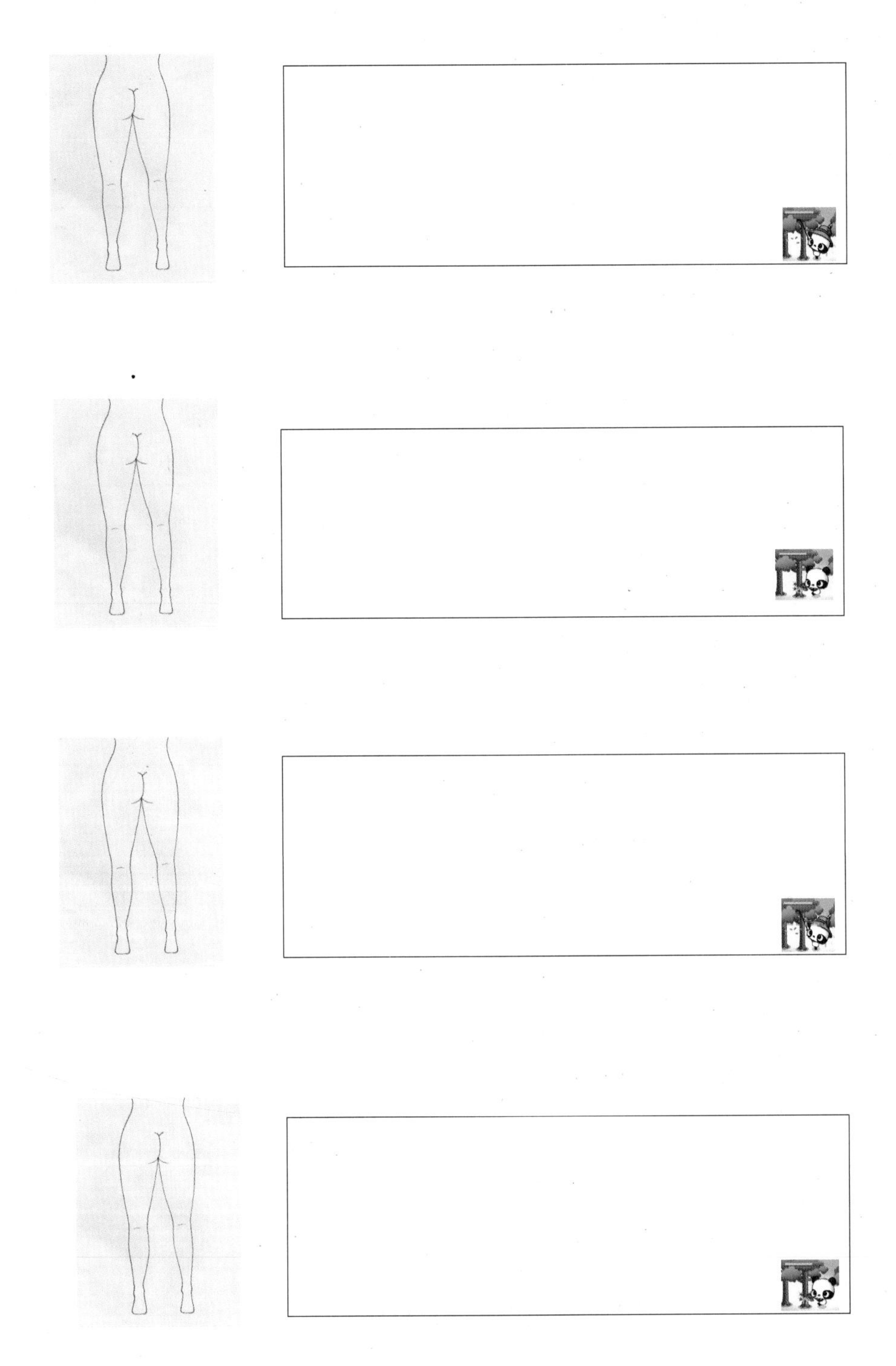

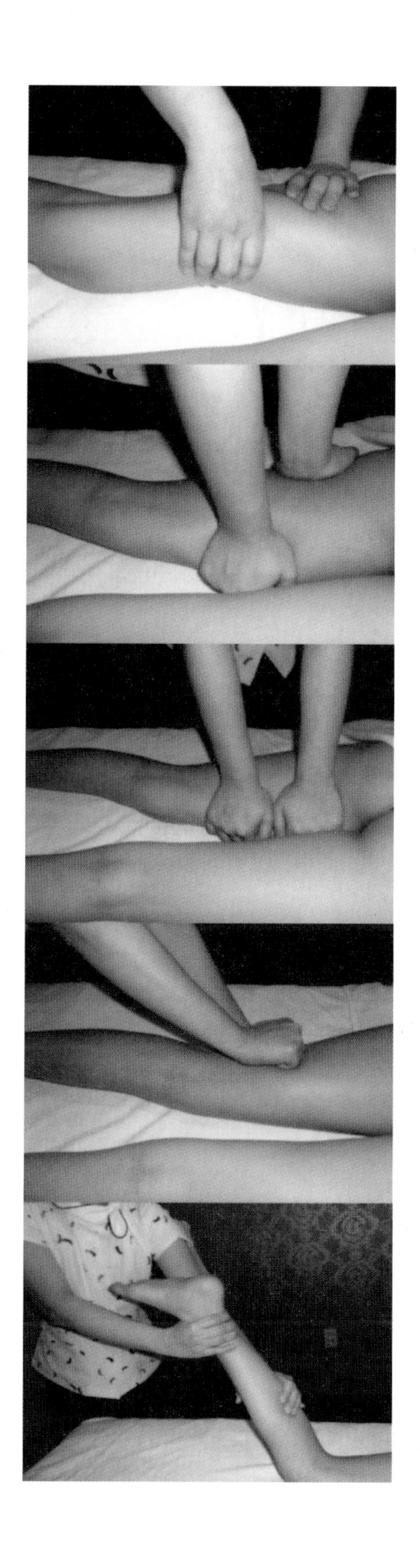

양손을 이용하여 번갈아 가며 반죽한다.

양수근을 이용하여 스트레칭해준다.

양수근을 이용하여 허벅지를 내려주며 반죽한다.

양주먹을 이용하여 아래에서 위로 밀어준다.

다리를 접어 한손은 발목을 잡고 한손은 비복근 부분을 잡아 쓸어 내려준다.

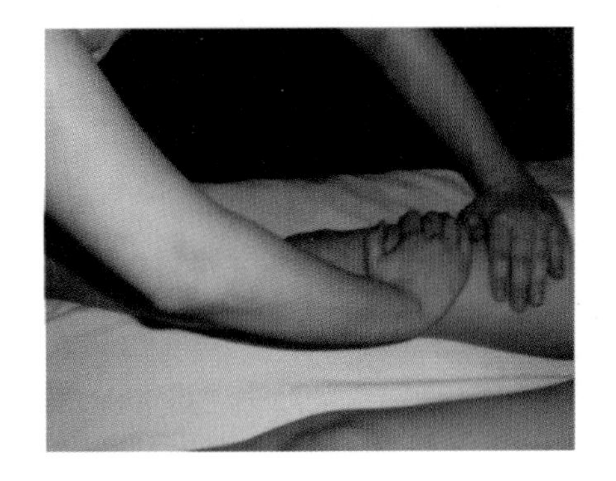

양손바닥을 마지막 전체 쓸기를 해주며 바이브레이션을 해준다.

【실습 순서】

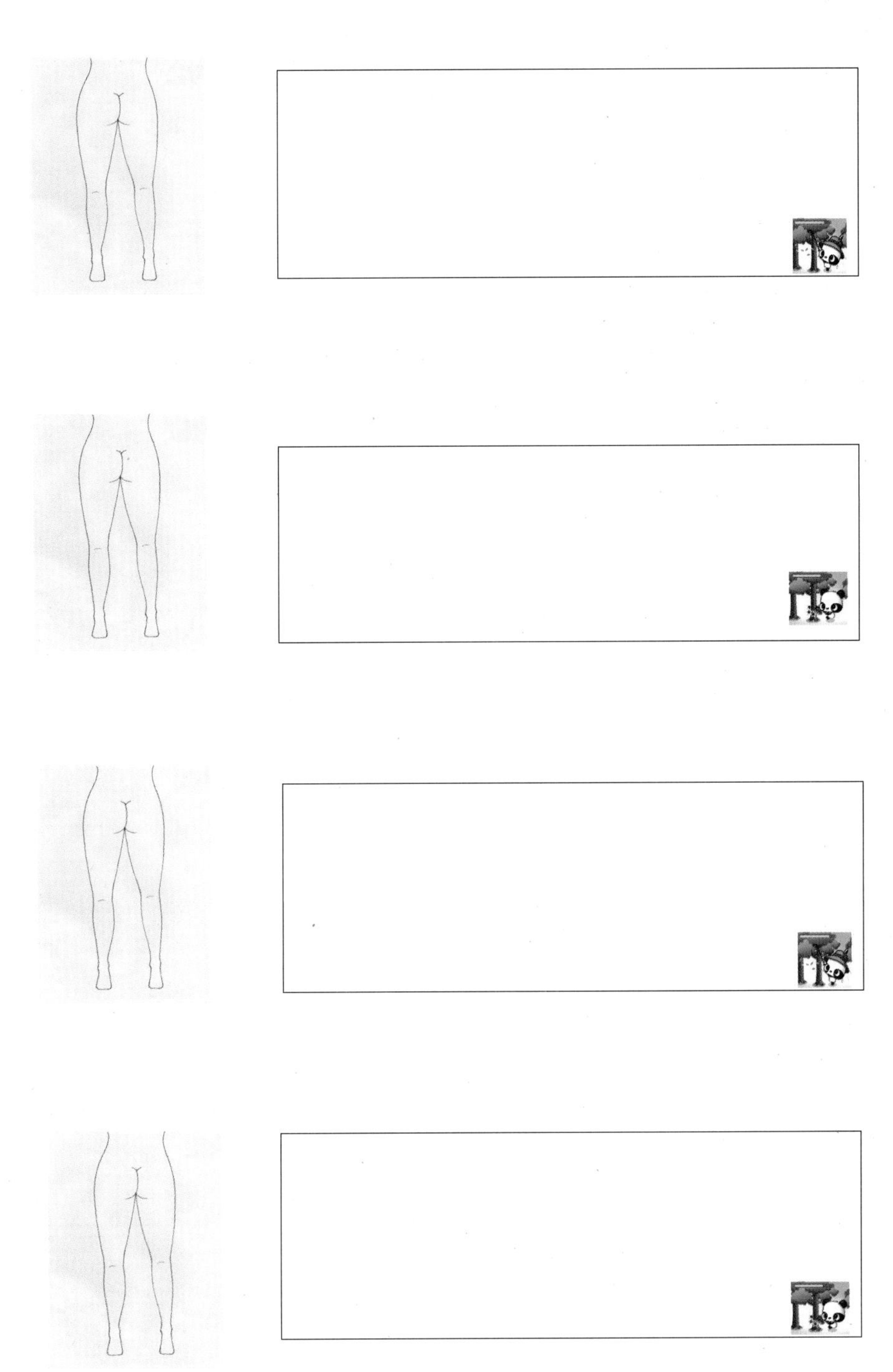

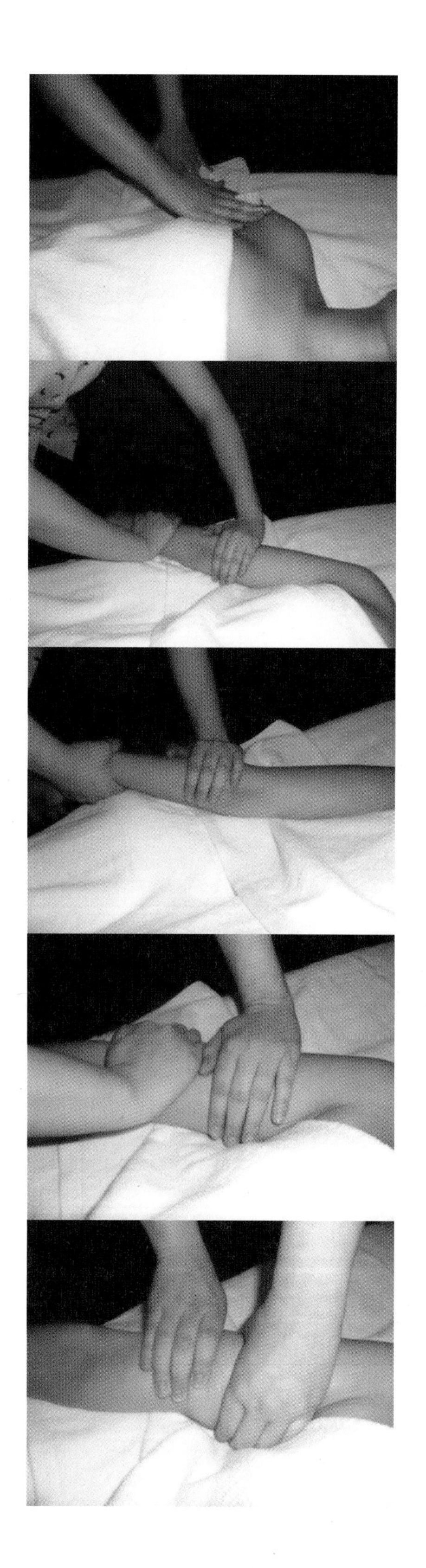

5. 손, 팔 관리

팔에 바디클렌저를 이용하여 신속하게 닦아낸다.

팔 전체에 오일을 도포한 후 양 손바닥을 사용하여 위로 쓸어 올리고 양쪽 측면으로 내려와 쓸어준다.

한 손으로 손목을 가볍게 잡고 다른 한 손으로 팔의 내부를 쓰다듬어 준다. 그 후 손을 바꾸어 같은 동작으로 외부를 쓸어준다.

상완 문지르기.

상지 안쪽을 빨래 짜듯이 근육을 비튼다.

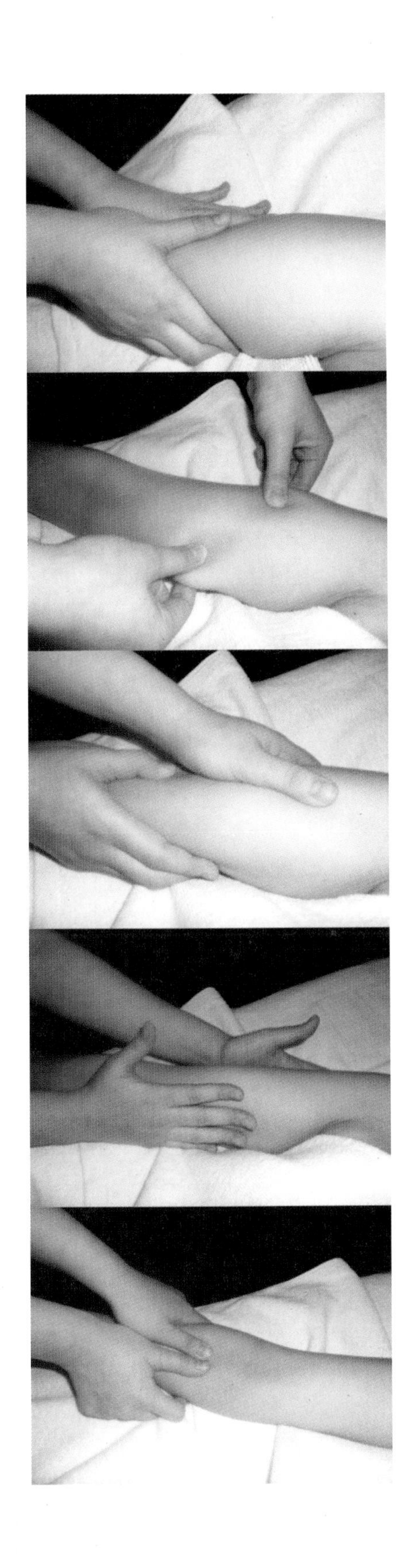

V자형으로 안쪽 상완부 끝까지 올라갔다가 어깨를 감싸며 내려온다.

1지와 2지를 이용하여 상완을 집어 튕겨준다.

상완부를 전체적으로 쓸어준다.

팔을 잡고 바이브레이션 해주며 상완까지 올라갔다가 내려오는 과정을 반복한다.

양 손바닥으로 전완을 위로 쓸어준다.

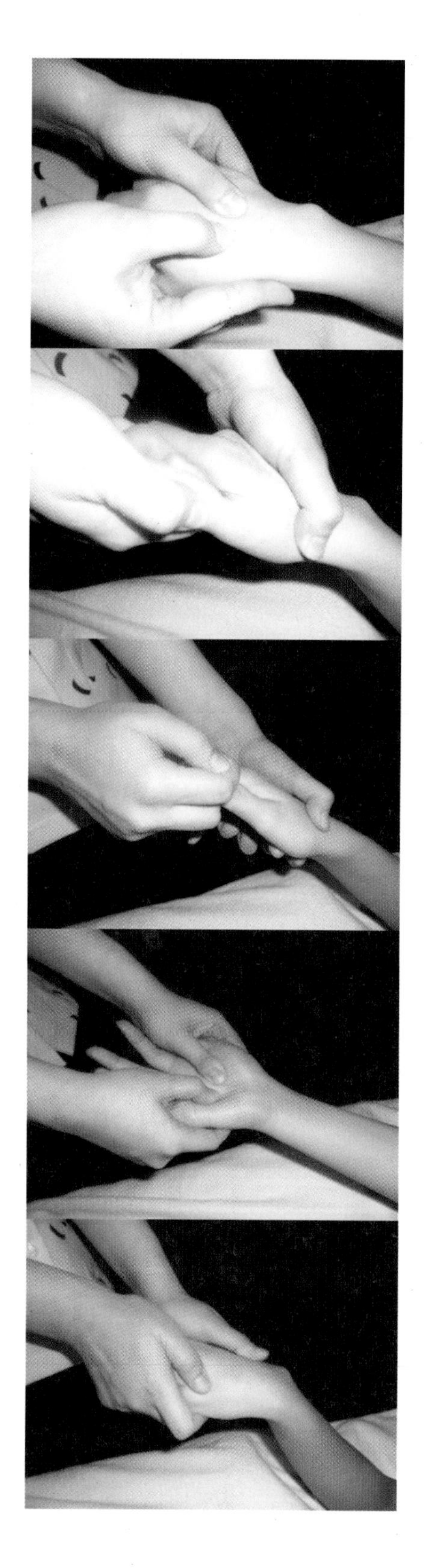

중수골 사이를 엄지를 이용하여 훑어 준다.

엄지를 이용하여 원을 그리며 올라갔다가 내려온다.

손가락을 쓸면서 뺀다.

양 손의 엄지를 이용하여 손바닥 중앙에서 첫 번째 중수골과 다섯 번째 중수골 방향으로 압을 준다.

엄지 측면을 이용하여 손등을 반원 모양으로 쓸어 올라간다.

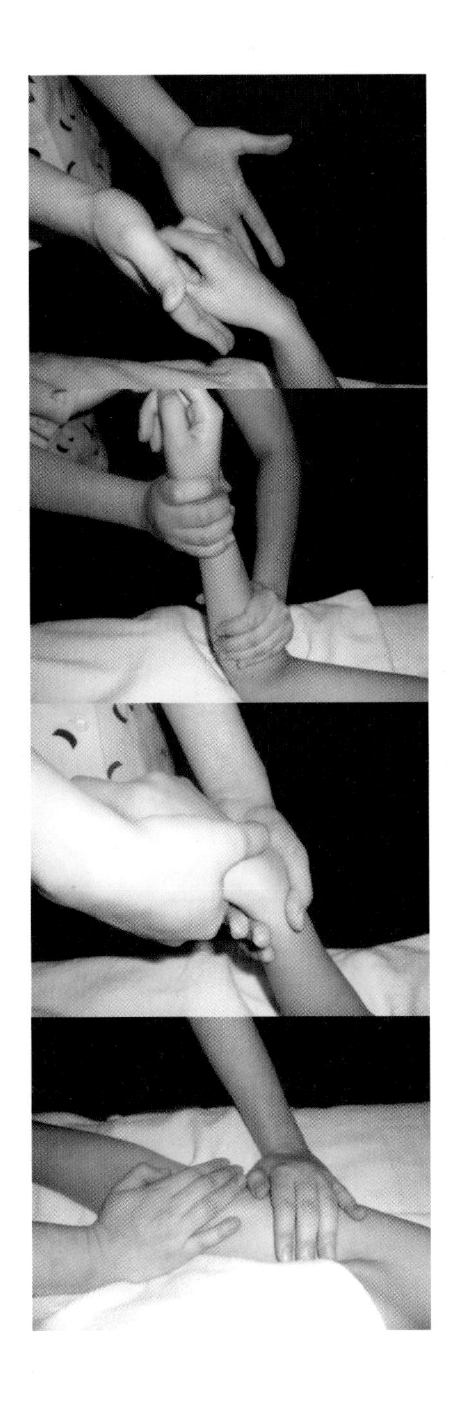

고객의 엄지와 새끼손가락에 각각 엄지를 걸고 앞 뒤 방향으로 흔들어준다.

한 손은 고객의 손목 부위를 잡고 다른 한 손으로 손가락 부위를 스트레칭 한다.

손목을 잡고 가볍게 스트레칭 해준다.

전체적으로 쓸어 준 후 팔목을 잡고 천천히 흔들어 준 후 손을 빼고 마무리한다.

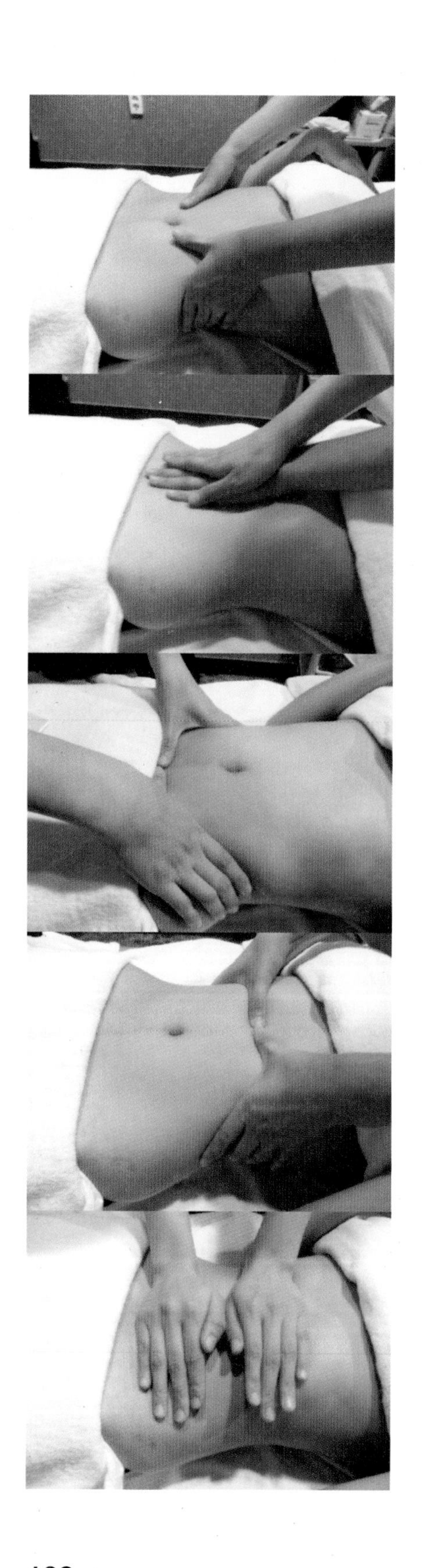

6.복부관리

사지로 옆구리를 쓸어준다.

수근을 이용하여 임맥을 쓸어준다.

양 엄지손가락을 이용하여 배꼽방향으로 쓸어내려 준다.

엄지를 이용해 서해부 방향까지 쓸어 내려 준다.

수근을 이용하여 밀어준다.

【실습 순서】

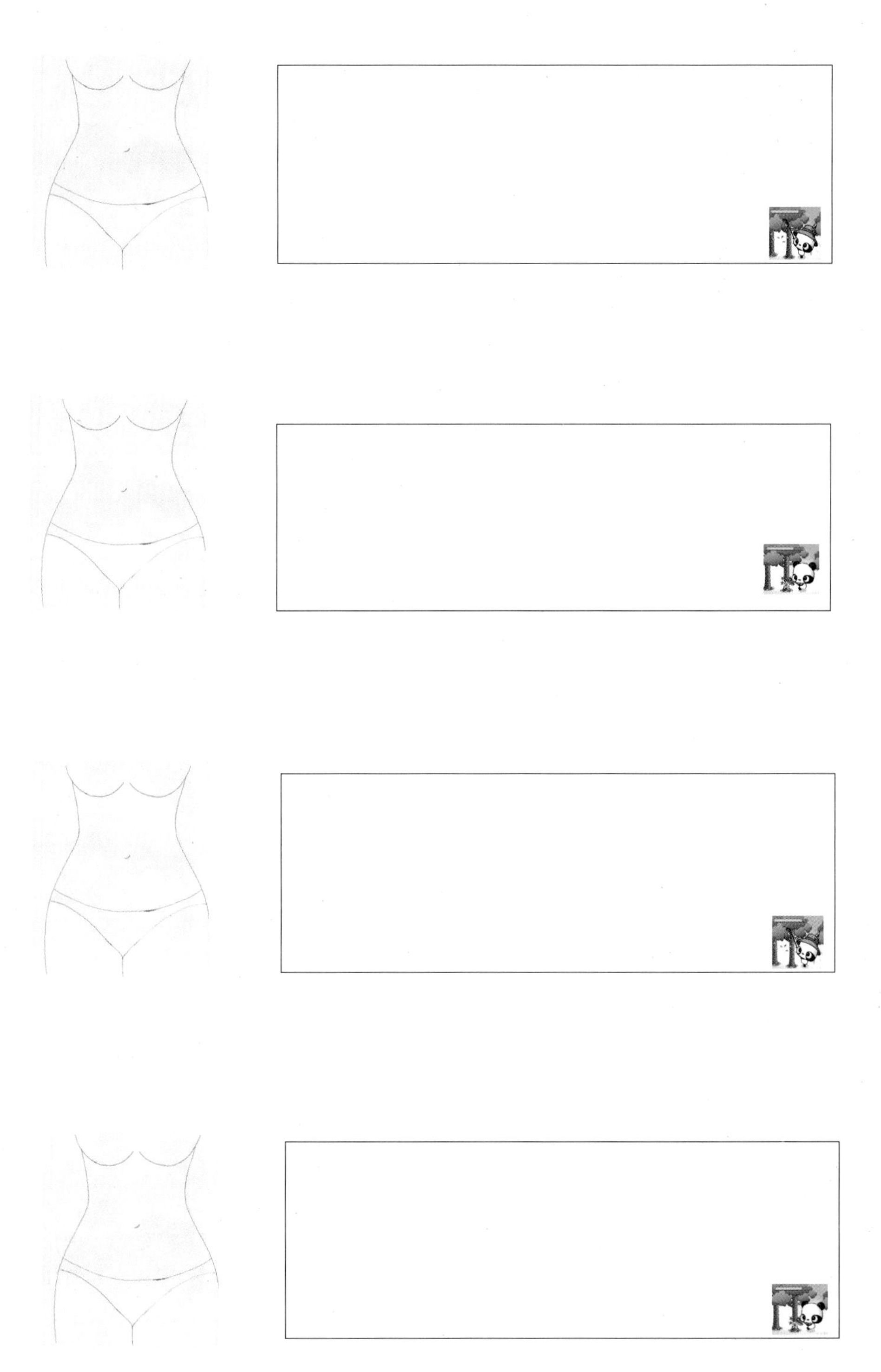

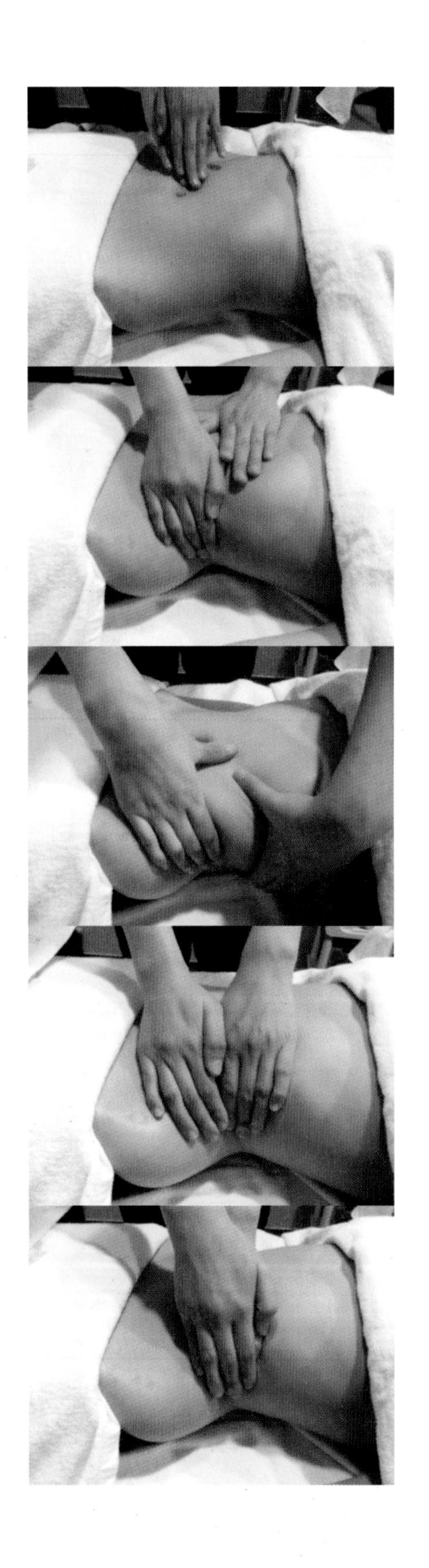

양손을 모아 소장 부위를 작은 원을 그리며 손가락 끝으로 돌려가며 마사지 한다.

황행결장을 양손바닥을 교대로 사용하여 쓸어준다.

복횡근, 복사근을 양 손가락을 이용하여 패트리사지로 한다.

양손으로 복횡근, 복사근을 반대쪽으로 끌어 준다.

양손을 겹처 복횡근, 복사근을 반대로 끌어주며 사지로는 당기듯 쓸어 올리고 다른 엄지로 밀어주듯이 올려준다.

【실습 순서】

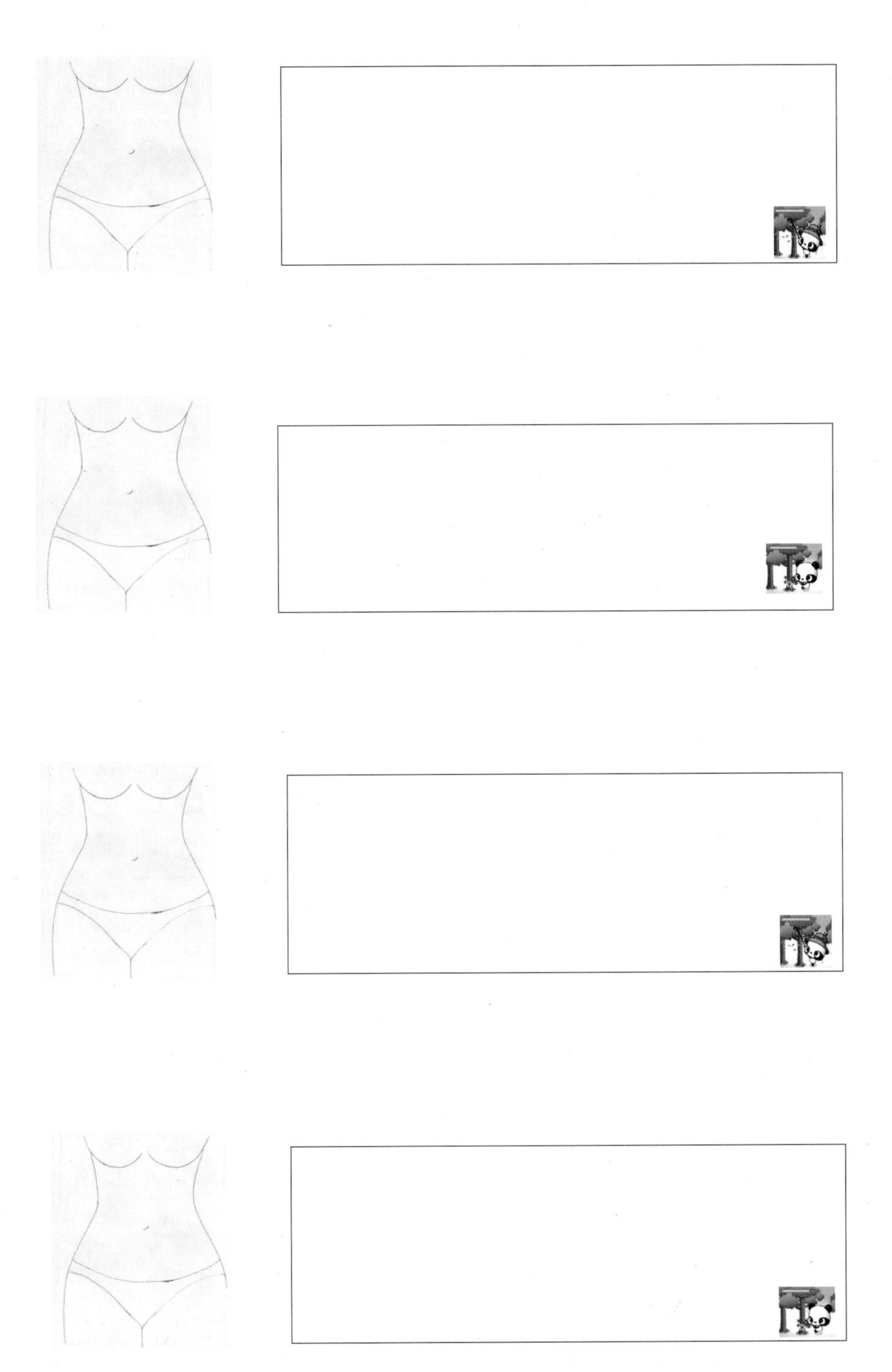

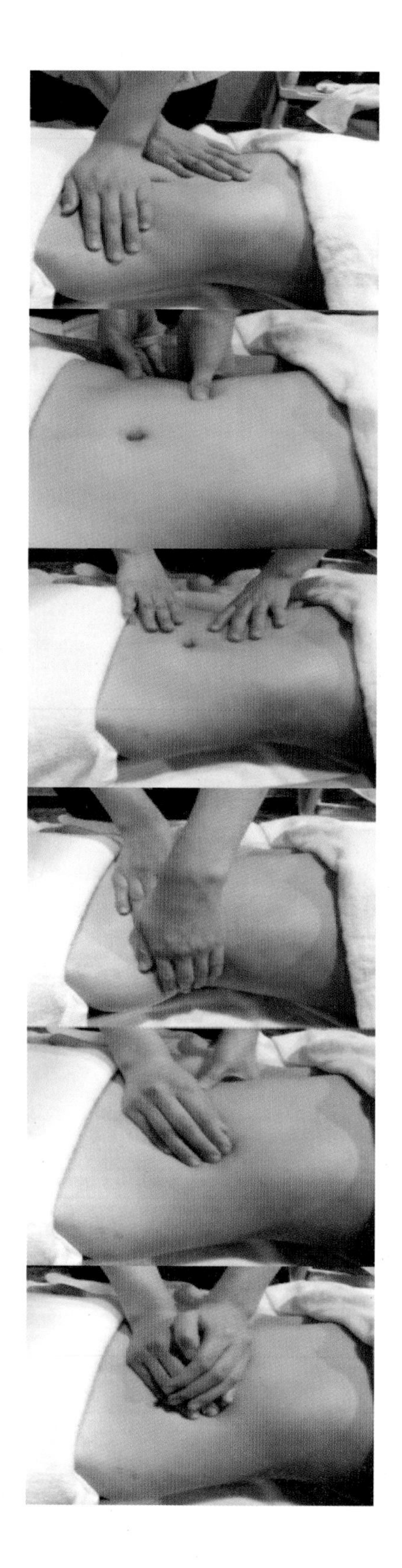

손바닥의 방향은 손가락이 12시 방향이 되게 하고 손바닥을 시계방향으로 쓰다듬어 준다.

엄지와 사지를 이용하여 핀칭 해준다.

양손을 이용하여 옆구리를 반죽해 준다.

관리사는 한손을 밀듯이 쓸어 올리고 다른 손바닥으로 당기듯이 올리면서 전체 배를 주무르기 한다.

양손바닥을 밀착하여 복부를 여러번 배꼽주변으로 독소를 모아준다.

양손을 포개어 놓고 시술자와 피시술자와 함께 깊게 숨을 들어 마시고 길게 내쉬며 손바닥에 모은 독소를 두드려 독소를 배출한다.

【실습 순서】

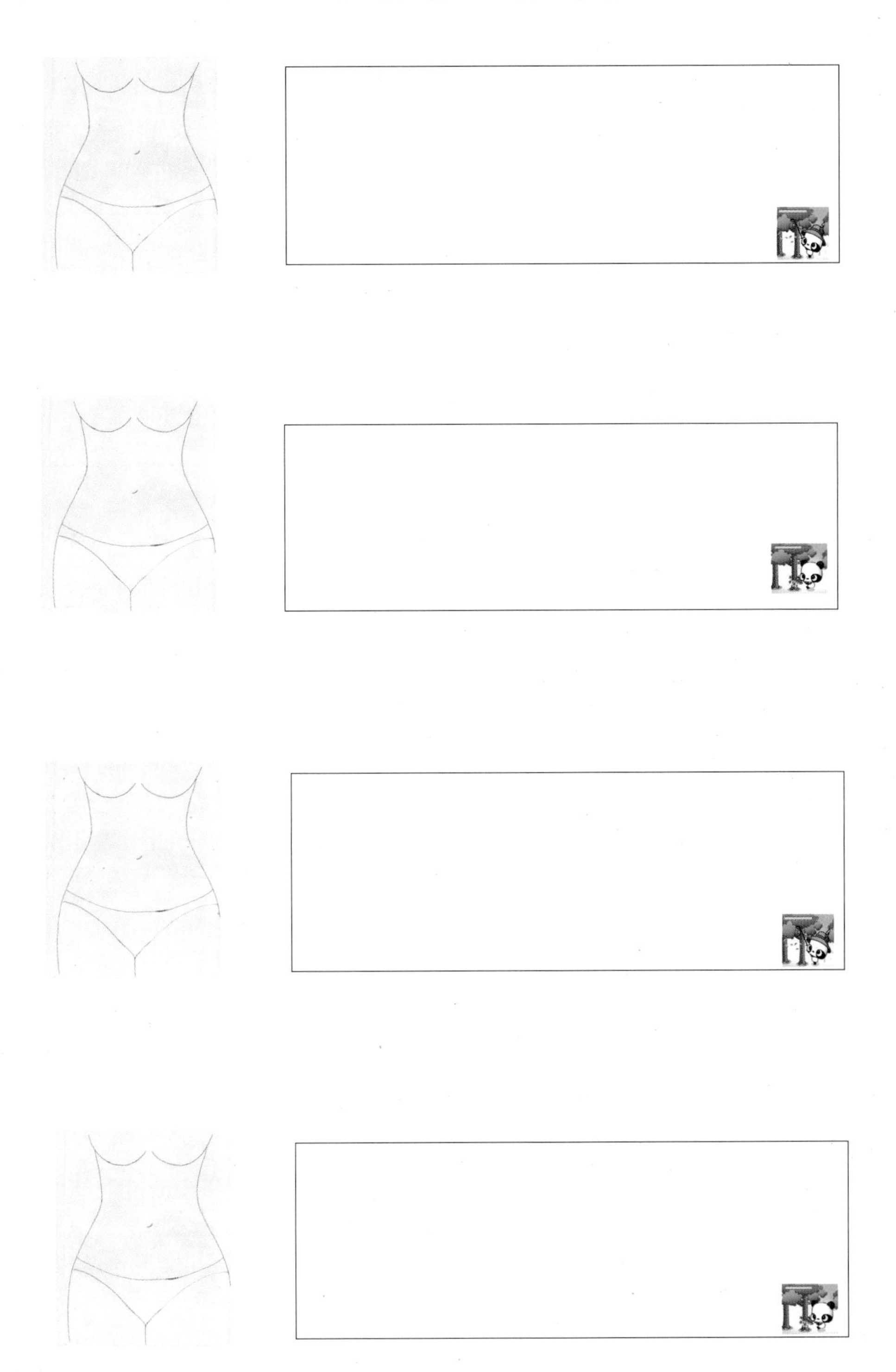

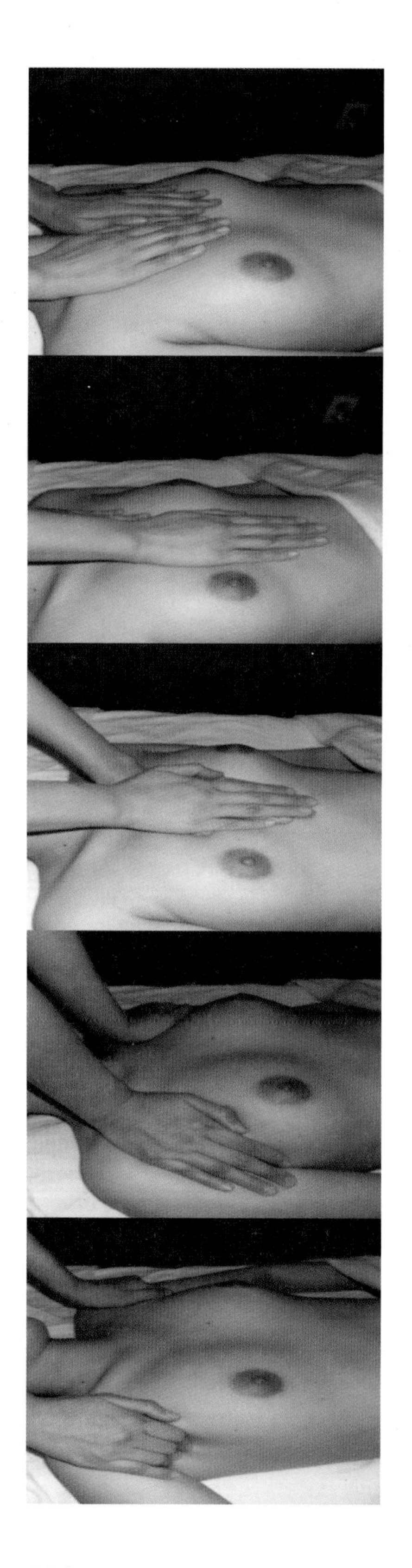

7. 가슴 관리

양손바닥을 가슴에 밀착하여 가슴 아래 중앙에서 시작해서 가슴 사이로 올라가며 오일을 도포한다.

양손을 번갈아 가슴 중앙에서부터 수영방향으로 쓸어준다.

양손을 나란히 쓸어준다.

가슴 아래 부분을 돌아 전체적으로 쓸어준다.

극천(액와)부위를 지그시 눌러준다.

【실습 순서】

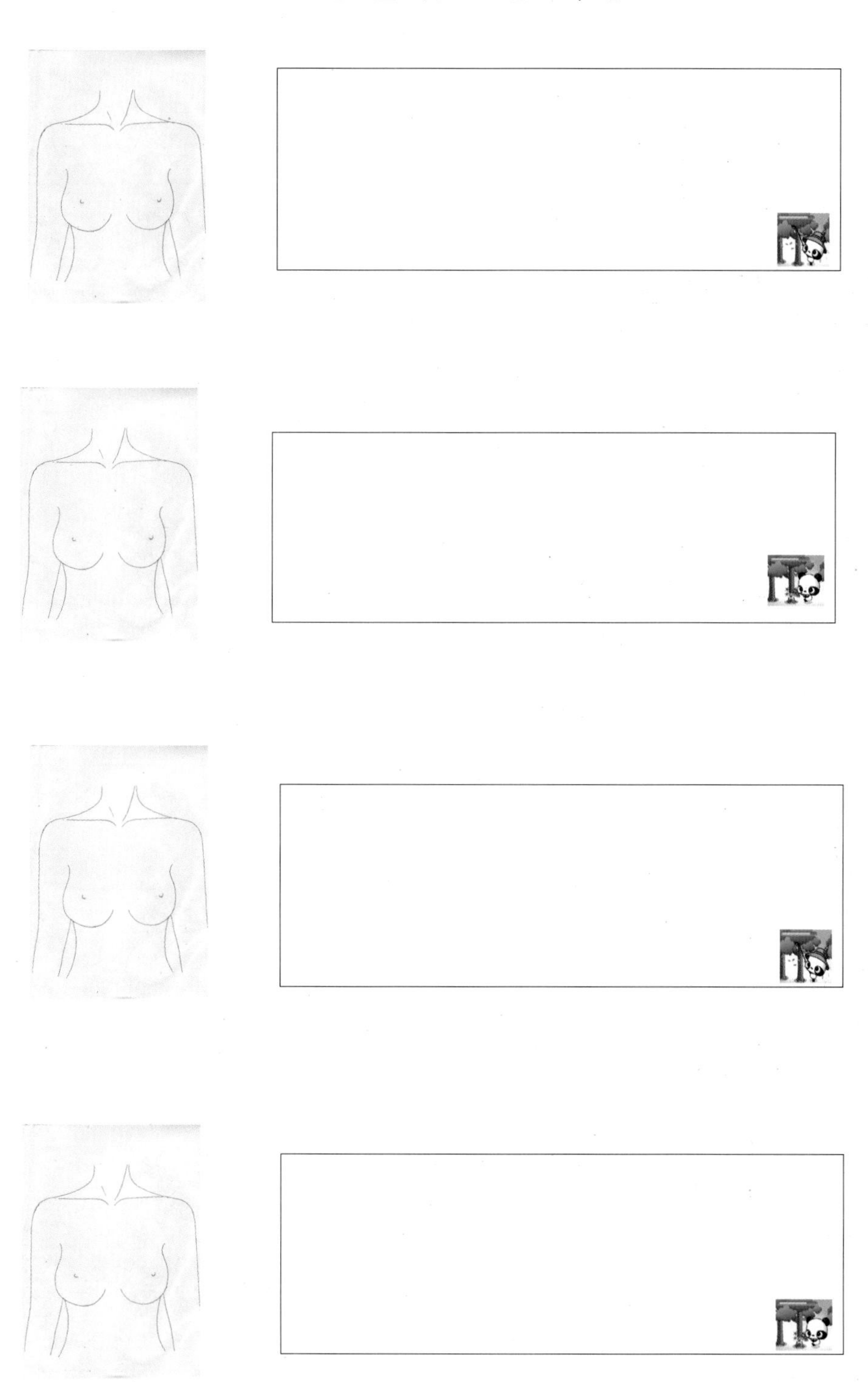

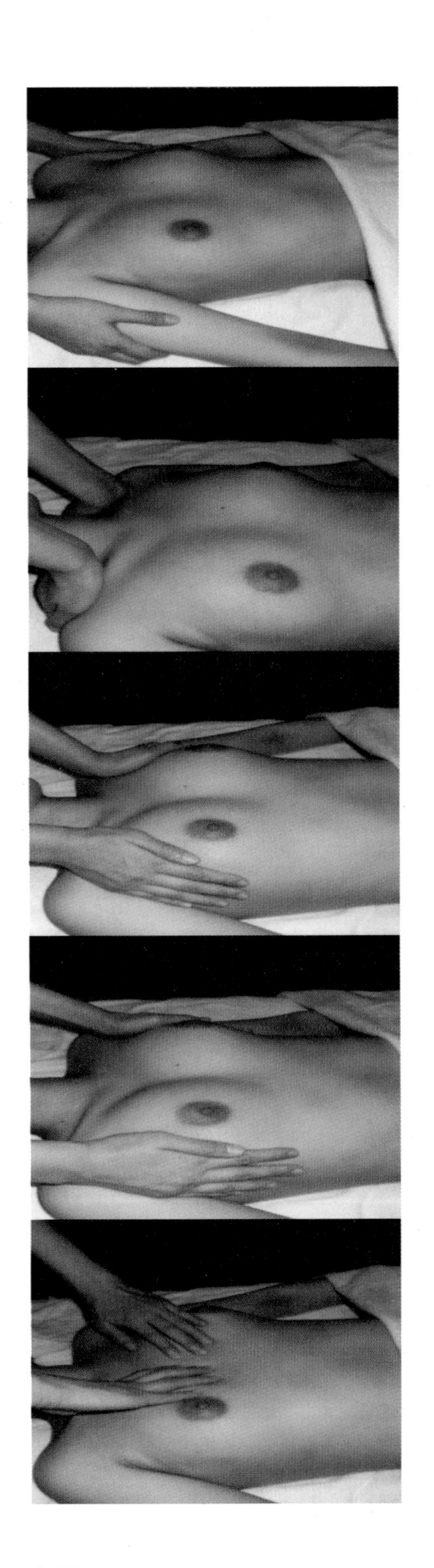

팔 바깥쪽을 쓸어 어깨까지 쓰다듬어준다.

팔 안쪽 상완부를 돌아 팔 바깥쪽을 쓸어 올려준다.

양손을 이용하여 외관을 배농해준다.

소흉근 부위를 손바닥을 이용하여 지그시 눌러준다.

4지를 이용하여 손끝에 약간의 압을 주어 흉골 사이사이를 바깥쪽으로 쓸어준다.

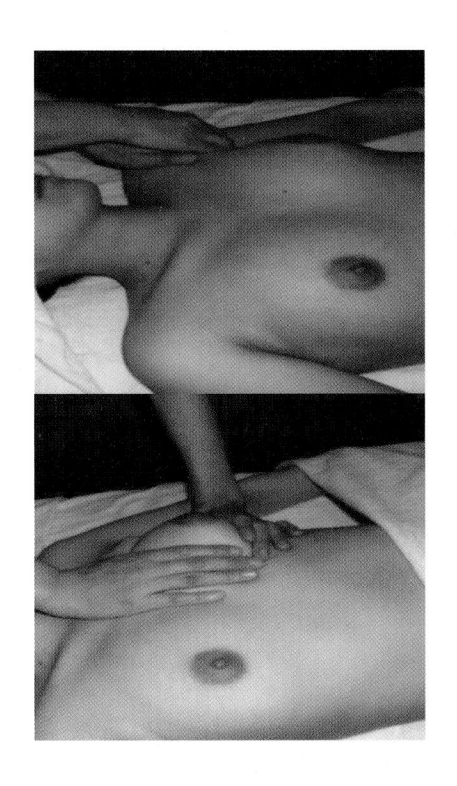

양손을 포개어 한쪽씩 액와에 자극을 준다.

양손바닥을 이용하여 가슴을 중앙으로 모은 후 바이브레이션 해주며 마무리 한다.

【 실 습 순 서 】

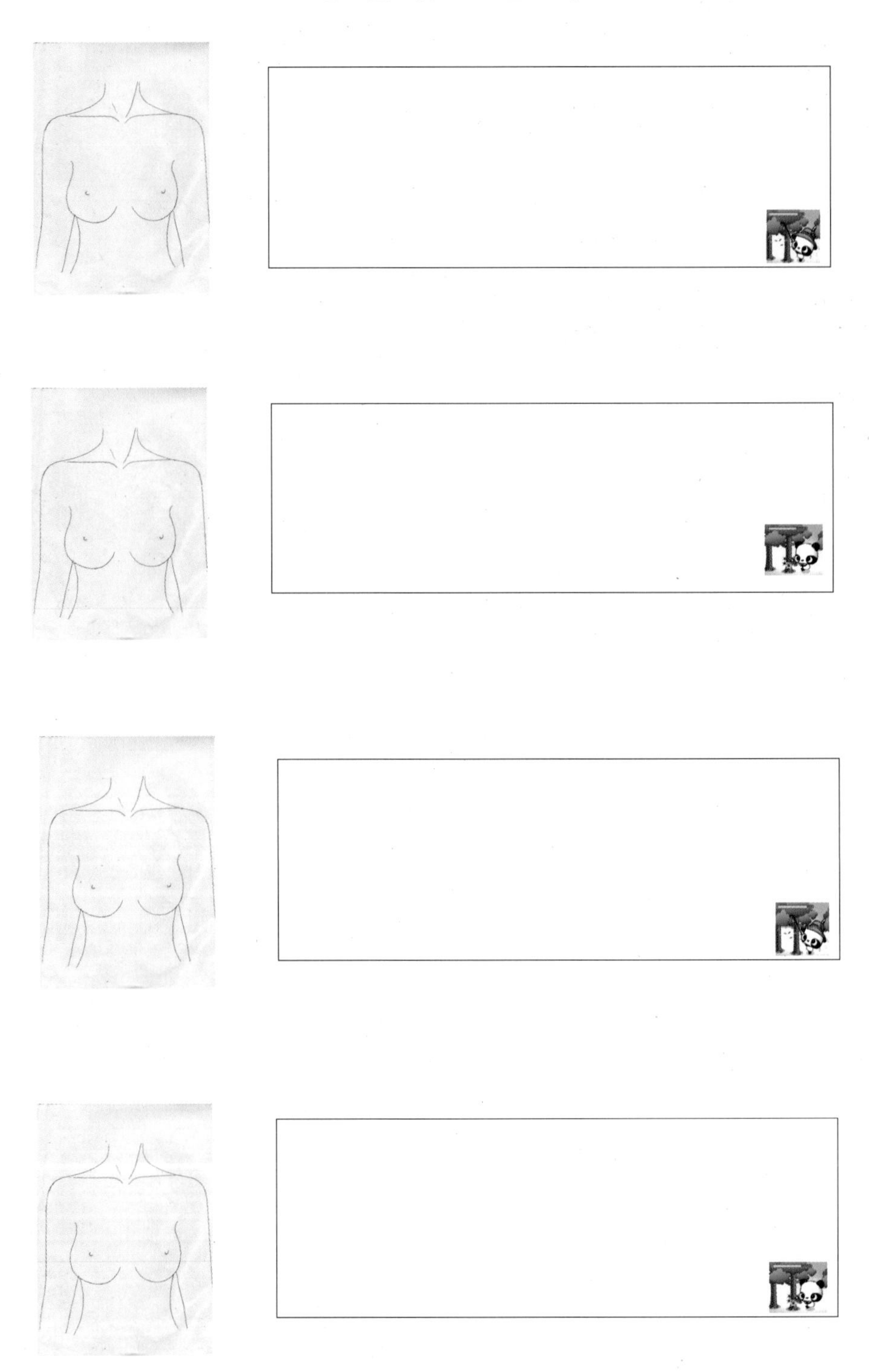

Ⅲ 피부미용과 피부관리실의 이해

1. 피부미용의 개념과 역사

1.1 피부 미용의 개념

① 건강한 피부 관리를 위하여, 학문적 이론을 바탕으로 유해한 자극으로부터 피부 노화를 지연시키는 물리적 방법
② 화장품 및 미용기기를 사용하여 얼굴 및 전신의 피부를 분석하고 관리하여 아름답게 유지할 수 있도록 증진시키는 것

《 알아보기 각 나라별 피부 미용의 용어 》
흔히 피부 미용을 뜻하는 용어인 코스메틱은 '관리하다, 장식·치장하다' 라는 뜻의 그리스어 'kosmein'에서 유래되었다.

프랑스 : Esthetique
독일 : Kosmetik
미국 : Skin care, Aesthetic
영국 : Cosmetic
일본 : Soin, Esthetique, Skin care

1.2 피부 미용의 역사

1) 서양 피부 미용의 유래

(1) 이집트(Egypt)
왕권 중심의 계급사회 구별, 종교적인 목적으로 화장이 발달하였다. 피부 관리를 위하여 오식물성 염료로 오일을 사용한 아로마 테라피의 시작이 되었다. 화장법에는 백납을 이용하여 희게 했고 손톱은 오렌지 색으로 물들였다.(네일 아트의 시작). 클레오파트라는 아름다운 피부를 만들기 위해 우유로 목욕을 했다.

(2) 그리스(Greece)

의학의 대가 히포크라테스(Hippocrates)를 비롯한 의사들은 건강한 아름다움을 추구하여, 목욕, 운동, 식이 요법 및 특수 마사지를 연구하였으며 이가 본격적으로 활성화 된 시기였다.

(3) 로마(Rome)

대중목욕이 활성화 되었고, 흰 피부를 유지하기 위하여 과일, 우유, 꽃 등 천연재료를 사용하여 피부를 관리하였다. 또 이 시기에 의사 갈렌이 최초의 현대적 화장품인 콜드크림을 개발했다.

(4) 중세(The Middle Ages)

로즈마리, 보리수 등 약초를 끓는 물에 넣어 수증기를 쬐는 약초스팀법이 처음 개발되었다. 또 화장품의 필수성분인 알코올이 발명되었다.

(5) 르네상스 (Renaissance)

십자군의 귀향으로 인하여 동양 문물이 전파되면서 향장산업이 발전하였다. 또 인간 중심의 문화를 중시하는 사회적 분위기로 인하여 남,녀 모두 아름다움에 많은 관심을 갖게 되었다. 사람들은 짙은 화장을 하고 강한 향수를 사용하였으며 화장수 개발 및 사용이 활성화 된 시기이다.

(6) 근세

19세기에는 화장이 여성의 전유물이 되었다. 또 위생과 청결이 중요시 되어 비누의 사용이 보편화되었고, 크림이나 로션이 대중화된 시기이다. 1866년에 백납분보다 안전한 성분인 산화아연 성분의 분이 개발되었다.

(7) 현대

과학적 체계성을 바탕으로 한 미용이 발달하여, 전기학, 생화학, 생약학 등의 과학시술이 적용되었다. 프랑스의 바렛트(Barrett) 교수가 전기 피부미용의 학문적 토대를 마련하였으며 화장품의 종류가 다양해지고 대량생산에 의하여 화장품이 대중화 된 시기이다.

2) 우리나라 피부 미용의 유래

(1) 고조선시대

단군 신화에 웅녀가 인간이 되기 위해 쑥과 마늘을 이용한 기록이 있다. 쑥과 마늘을 이용한 탁월한 미백효과를 얻었다.

(2) 삼국시대

벽화를 통하여 당시 뺨과 입술을 연지로 단장하였음을 알 수 있다. 곡류를 이용한 입욕제를 사용하였고, 불교의 영향으로 향료의 이용이 활성화되었다.

(3) 고려시대

미백제 및 피부 보호제의 역할을 한 면약이라는 액상 타입의 안면용 화장품이 개발된 시기이다. 복숭아 꽃물을 우려내어 세안하였고 난초를 넣은 물에 목욕을 하였다.

(4) 조선시대

규합총서(閨閤叢書)의 '면지법(面脂法)'에는 몸을 향기롭게 하는 법, 머리카락을 검고 윤기나게 하는 법, 목욕법, 피부관리 방법 등이 소개되어 있다. 조선시대 사람들은 피부의 청결을 중시하여 목욕을 즐겼다.

(5) 개화기 이후

개화 초기에는 일본과 중국에서 크림, 백분 등의 수입화장품이 유입되었으며 1910~1920년대에는 특허국으로 부터 상표등록증을 교부받은 우리나라 최초의 화장품인 박가분이 제조·판매되었다. 또 동아부인상회에서 연부액(미백로션)을 제조·발매하였으며, 조선부인약방의 금강액, 유백금강액은 여드름, 주근깨 등에 특효로 광고 되었다.

1950년대에는 글리세린과 유동파라핀을 기본적인 원료로 화장품이 개발되었다. 미백제로 깨, 살구씨등 잡곡류를 사용하였다.

1960년대에는 비타민과 호르몬 등 활성성분을 이용한 화장품이 개발되었다.

1070년대에는 인삼의 사포닌 성분을 활용한 화장품이 개발되었고, 일본에서 피부관리학을 배워 온 최운학씨의 국내 최초의 피부관리실을 개업하였다.

피부미용사 기출문제 - 피부미용

2009년

6. 피부미용에 대한 설명으로 가장 거리가 먼 것은?
   가. 피부를 청결하고 아름답게 가꾸어 건강하고 아름답게 변화시키는 과정이다.
   나. 피부미용은 에스테틱, 코스메틱, 스킨케어 등의 이름으로 불리고 있다.
   다. 일반적으로 외국에서는 매니큐어, 페디큐어가 피부미용의 영역에 속한다.
   라. 제품에 의존한 관리법이 주를 이룬다.

2008년

7.피부관리의 정의와 가장 거리가 먼 것은?
   가. 안면 및 전신의 피부를 분석하고 관리하여 피부상태를 개선시키는 것
   나. 얼굴과 전신의 상태를 유지 및 개선하여 근육과 골절을 정상화시키는 것
   다. 피부미용사의 손과 화장품 및 적용 가능한 피부미용기기를 이용하여 관리하는 것
   라. 의약품을 사용하지 않고 피부상태를 아름답고 건강하게 만드는 것

2. 피부 분석 및 상담

2.1 피부 관리실의 환경과 시설 조건

1) 피부 관리실의 환경 조건

① 인체가 쾌적함을 느끼는 적당한 온도와 습도를 유지한다.(대략적으로 18℃~23℃ 사이의 온도일 때 습도 50% 전후)

② 조도가 낮은 조명을 사용하여 편안한 분위기를 연출한다.

2) 피부 관리실의 시설 조건

(1) 고객 관리실 : 관리 전 필요한 기본 물품이 미리 준비되어 있어야 한다. 오일이나 팩이 떨어질 수 있으므로 카페트 보다는 물걸레로 닦기 좋은 재질의 바닥을 사용한다. 먼지가 쌓이기 쉬운 벽면은 물걸레로 닦는다.

(2) 현관 : 고객이 신고 온 신발은 실내 오염의 원인이 될 수 있으므로, 현관에서 실내화로 갈아 신을 수 있도록 신발장과 실내화 등을 준비한다.

(3) 탈의실 : 청결 유지에 노력하고 자주 환기한다. 고객의 물품을 사물함에 안전하게 보관한다.

(4) 샤워실 : 하수구의 청결에 유의하고 바닥과 벽을 자주 소독한다.

(5) 고객 상담실 : 조용하고 안락한 분위기 연출로 고객의 심리적 안정을 유도함으로서 충분한 상담을 이끌어내도록 한다.

(6) 파우더 룸 : 거울과 의자, 티슈, 면봉, 헤어 드라이기 등을 비치한다.

(7) 환기구, 에어컨 : 먼지가 쌓이지 않도록 자주 닦거나 털어준다.

(8) 온장구, 자외선 소독기 : 깨끗이 닦아 청결을 유지하고 사용 후 문을 열어 건조시킨다.

(9) 소독된 물품 : 소독된 스테인레스 바트에 넣어두고 필요할 때마다 꺼내어 사용

(10) 베이퍼라이저 : 노즐을 사용 후 반드시 닦아준다. 물과 식초를 10:1의 비율로 넣어주어 물 석회를 제거한다.

(11) 진공흡입기 : 벤도제는 작은 솔을 이용하여 소을 깨끗이 닦아준다.

(12) 전동솔 : 브러시는 솔을 자외선 소독기에 넣어 20분간 소독한다.

(13) 확대경, 적외선램프 : 확대경의 렌즈를 마른 수건으로 닦아주고 적외선 램프는 전구에 먼지가 쌓이지 않게 마른 천으로 닦아준다.

2.2 피부 분석 및 상담

1) 피부 관리사의 올바른 자세

① 한상 단정한 모습으로 친절하고 예의바르게 고객을 응대한다.
② 이론과 전문 지식을 갖추어 고객에게 신뢰감 얻을 수 있도록 한다.
③ 화려한 악세사리 및 장식품은 피한다.
④ 전문가로서의 품위를 지키기 위해 전문적 용어를 사용한다.
⑤ 고객의 피부 관리는 항상 위생마스크를 착용 후 수행하고 청결 및 위생에 유의한다.
⑥ 고객의 피부를 분석한 뒤 세분화시켜 기록하고 사후관리를 조언한다.
⑦ 보건 위생에 필요한 조치를 실행하며 심리적·정신적·보호적 피부관리를 수행한다.

> **《 피부 관리 준비사항 》**
> 미용솜, 소독솜, 거즈, 수건, 침대, 베개, 담요, 스팀타올, 소독용 알코올, 화장품, 랩, 호일, 티슈, 볼, 스파츌라, 쓰레기통, 피부관리 화장품, 고객가운, 면봉, 해면, 팩 브러시, 터번, 사물함 등

2) 피부 상담의 목적과 효과

(1) 피부 상담의 목적

문진, 촉진, 견진을 이용하여 피부를 분석하고 문제의 원인을 파악하여 피부 관리 계획을 세운다.

①문진 : 피부와 관련된 식습관, 생활습관, 수면 정도 등에 대하여 질문하고 판단하는 방법
②촉진 : 손으로 만져보거나 눌러서 판단하는 방법
③견진 : 직접 눈으로 보거나 확대경을 통하여 피부를 관찰하고 분석하여 판단하는 방법

①문진

②촉진

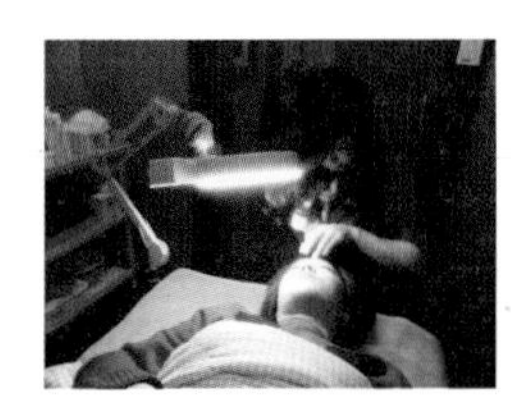

③견진

(2) 피부 상담의 효과 : 피부미용사에 대한 신뢰감 확보, 고객의 불만족 최소화 등

3) 피부 상담의 절차

■ 고객과의 인사 -> 상담준비 -> 고객관리차트 작성
(피부의 분석, 방문목적 파악)

■ 피부관리 계획을 설명 -> 관리 단계 -> 홈케어 방법을 조언 및 시간 예약

2.3 고객 관리 방법

관리계획 차트 (Care Plan Chart)		
관리 목적 및 기대효과		
클렌징	□ 오일 □크림 □ 밀크/로션 □ 젤	
딥클렌징	□ 고마쥐(gommage) □ 효소(enzyme) □ AHA □ 스크럽	
매뉴얼 테크닉 제품타입	□ 오일 □ 크림 □ 앰플	
손을 이용한 관리 형태	□ 일반 □ 아로마 □ 림프	
팩	T 존 : □ 건성타입 팩 □ 정상타입 팩 □ 지성타입 팩	
	U 존 : □ 건성타입 팩 □ 정상타입 팩 □ 지성타입 팩	
	목부위 : □ 건성타입 팩 □ 정상타입 팩 □ 지성타입 팩	
고객 관리 계획		
자가관리 조언 (홈케어)		

※ 관리계획표는 요구하는 피부타입에 맞추어 시험장에서의 관리를 기준으로 기록할 것

※ 고객관리계획은 현재 관리와 향후 주단위의 관리 계획을, 자가관리 조언은 가정에서의 제품 사용을 위주로 작성할 것

〖 국가기술자격시험 실기고사 참고 사항 〗

시험시간 : 70분 (준비 작업 시간 및 위생 점검시간 제외)

순서	작 업 명	요 구 내 용	시 간
1	관리계획표 작성	제시된 피부타입 및 제품을 적용한 피부 관리 계획을 작성	10분
2	클렌징	포인트 메이크업과 관리범위를 클렌징, 코튼 또는 해면을 이용하여 제품을 제거, 피부 정돈	15분
3	눈썹정리	얼굴형에 맞는 눈썹모양 만들기, 보기에 아름답게 정리	5분
4	딥클렌징	스크럽, AHA, 고마쥐, 효소 중 지정된 제품을 이용, 얼굴 딥클렌징 후 피부 정돈	10분
5	매뉴얼테크닉	화장품을 도포하고 관리 후 피부를 정돈	15분
6	팩 및 마무리	기본 전처리 실시 후, 적합한 제품을 선택하여 적당량 도포한 뒤 팩 제거, 피부 정돈 및 최종 마무리와 주변 정리	15분

피부미용사 기출문제 - 피부상담

2010년

4. 밑줄 친 내용에 대한 범위의 설명으로 맞는 것은? (단, 국내법상의 구분이 아닌 일반적인 정의 측면의 내용을 말함)

> 피부관리(Skin care)는 "인체의 피부"를 대상으로 아름답게, 보다 건강한 피부로 개선, 유지, 증진, 예방하기 위해 피부관리사가 고객의 피부를 분석하고 분석 결과에 따라 적합한 화장품, 기구 및 식품 등을 이용하여 피부관리 방법을 제공하는 것을 말한다.

가. 두피를 포함한 얼굴 및 전신의 피부를 말한다.
나. 두피를 제외한 얼굴 및 전신의 피부를 말한다.
다. 얼굴과 손의 피부를 말한다.
라. 얼굴의 피부만을 말한다.

7. 상담 시 고객에 대해 취해야 할 사항 중 옳은 것은?
가. 상담 시 다른 고객의 신상정보, 관리정보를 제공한다.
나. 고객의 사생활에 대한 정보를 정확하게 파악한다.
다. 고객과의 친밀감을 갖기 위해 사적으로 친목을 도모한다.
라. 전문적인 지식과 경험을 바탕으로 관리방법과 절차 등에 관해 차분하게 설명해준다.

2009년

2. 피부 분석시 사용되는 방법으로 가장 거리가 먼 것은?
가. 고객 스스로 느끼는 피부 상태를 물어 본다.
나. 스파튤라를 이용하여 피부에 자극을 주어 본다.
다. 세안 전에 우드 램프를 사용하여 측정한다.
라. 유, 수분 분석기 등을 이용하여 피부를 분석한다.

2008년

11. 피부미용실에서 손님에 대한 피부관리의 과정 중 피부 분석을 통한 고객카드 관리의 가장 바람직한 방법은?
    가. 개인의 피부상태는 변하지 않으므로 첫 회만 피부관리를 시작할 때 한번만 피부분석을 해서 분석내용을 고객카드에 기록을 해두고 매회 활용한다
    나. 첫회 피부관리를 시작할 때 한번만 피부분석을 해서 분석 내용을 고객카드에 기록을 해두고 매회 활용하고 마지막회에 다시 피부분석을 해서 좋아진 것을 고객에게 비교해 준다
    다. 첫회 피부관리를 시작할 때 한번 피부분석을 해서 분석 내용을 고객카드에 기록을 해두고 매회 활용하고 중간에 한번, 마지막회에 다시 피부분석을 해서 좋아진 것을 고객에게 비교해 준다
    라. 개인의 피부유형 피부상태는 수시로 변화하므로 매회 피부관리 전에 항상 피부분석을 해서 분석내용을 고객카드에 기록을 해두고 매회 활용한다

18. 피부관리를 위해 실시하는 피부상담의 목적과 가징 거리가 먼 것은?
    가. 고객의 방문 목적 확인
    나. 피부문제의 원인 파악
    다. 피부관리 계획 수립
    라. 고객의 사생활 파악

3. 미용기기의 이해

3.1 미용기기관리를 위한 기초이론

(1) 물질의 구성

① 분자 - 분자란 물질의 고유한 성질을 가진 가장 작은 단위이며, 원자가 결합에 의해 2 개 이상이 만나서 이루어지는 입자이다.

② 원자 - 핵(양성자, 중성자)과 전자(음성자)로 이루어진 입자로 화학적 성질을 갖는 가장 작은 단위이다.

③ 이온 - 원자나 분자가 전자를 잃거나 얻으면 전하를 띄게 되는데, 전하를 띤 입자를 이온이라 한다. (양이온과 음이온)

(2) 전기용어

① 전기 - 전자가 한 원자에서 다른 원자로 이동하는 현상이다.
전자의 방향은 (-)극에서 (+)극으로 흐른다.

② 전류 - 전자의 이동(흐름)으로
전류의 방향은 (+)극에서 (-)극쪽으로 흐른다.

③ 암페어 - 전류의세기이며 단위는 암페어이다(A)

④ 전압 - 전류를 흐르게 하는 압력이며 단위는 볼트이다(V)

⑤ 전력 - 일정시간 동안 사용된 저류의 양이며 단위는 와트이다(W)

⑥ 주파수 - 1초 동안 반복하는 진동의 횟수이며 단위는 헤르츠이다(Hz)

(3) 피부미용기기에 이용되는 전류

① 직류전류(direct current : DC) - 전류의 흐르는 방향이 일정하게 한쪽으로 흐르는 전류이며, 미용기기에서는 1mA의 미세 직류를 이용한다. 이를 갈바닉 전류(Galvanic current)라고 한다. 갈바닉전류는 양극과 음극의 극성을 가지고 있으며, 극의 성질을 이용하여 세정효과 또는 미용성분의 효과적인 침투에 사용한다.

②-1 교류전류(Alternating current : AC) - 전류의 흐르는 방향과 크기가 시간의 흐름에 따라 주기적으로 변하는 전류이다. 감응전류, 정현파 전류, 격동전류가 있으며, 그 중에서 감응 전류(Faradic Current)가 가장 많이 사용된다.

②-2 감응전류의 종류와 특징

저주파(1~1,000Hz이하)	근육, 신경자극, 피부탄력, 운동효과, 지방 축적방지
중주파(1,000~10,000Hz이하)	피부 자극이 저주파에 비해 덜함 운동효과, 세포의 성장과 운동에 효과, 지방 분해, 부종 완화
고주파(100,000Hz이상)	심부열 발생, 통증 완화, 살균작용, 혈액순환과 신진대사 촉진

③ 초음파 전류

초음파는 주파수가 20,000Hz이상의 진동음파로, 사람이 들을 수 없는 영역대이다. 온열효과, 화학적 효과, 물리적 효과, 지방분해 효과, 제품의 피부침투 촉진효과 등을 나타낸다.

3.2 피부미용기기 종류 및 기능

피부 미용 관리 시 손에 의한 관리에 더하여, 피부상태와 관리목적에 알맞은 피부미용기기를 사용함으로써 더욱 효과적이고 능률적인 관리를 행할 수 있다. 피부분석 진단기기와 안면과 전신에 이용되는 다양한 피부미용기기에 대해서 살펴보기로 한다.

1) 피부 분석 진단기기

(1) 확대경

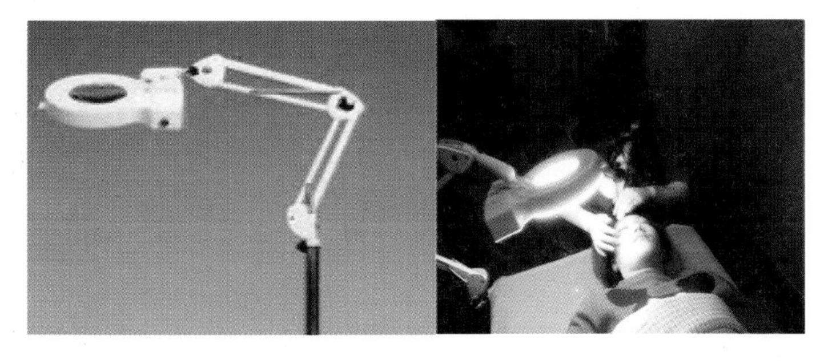

확대경은 육안에 비해 5-10배의 확대관찰을 통해서 문제성 피부(색소침착, 잔주름, 모공상태 등)의 관찰 및 여드름 압출시 도움을 줄 수 있다.

반드시 세안 후 아이패드로 눈을 보호하고 실시한다.

(2) 우드램프

① 자외선램프를 통해 피부상태에 따라 다른 색을 내는 원리를 이용하여, 피부를 분석한다.

② 정확한 피부측정을 위하여 깨끗이 클렌징한 후 실내의 조명을 어둡게 한 후 측정한다.

③ 우드램프 반응 색상 :

청백색- 정상피부
암갈색- 색소침착
진보라색- 민감성피부, 모세혈관확장피부
흰색- 각질
연보라색- 건성피부
오렌지색- 면포, 피지, 지루성피부
노란색- 비립종
반짝이는 흰현광색- 먼지, 이물질

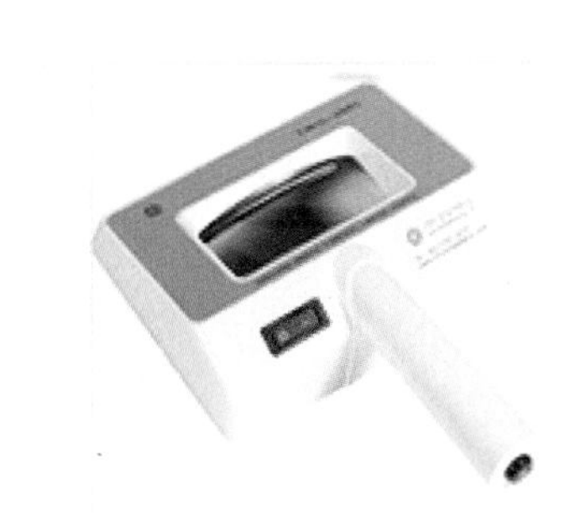

(3) 피부 pH 측정기

환경공해와 스트레스에 노출되어 있는 피부표면의 pH수치를 측정하는 것은 피부상태와 산성화정도를 파악할 수 있는 효과적인 방법이다. 환경에 민감하므로 분석에 사용되는 탐침의 관리 및 측정당시의 각종조건(온도, 습도, 신체상태, 화장품 성분, 환경 오염 물질등)을 잘 고려해서 측정해야 한다.

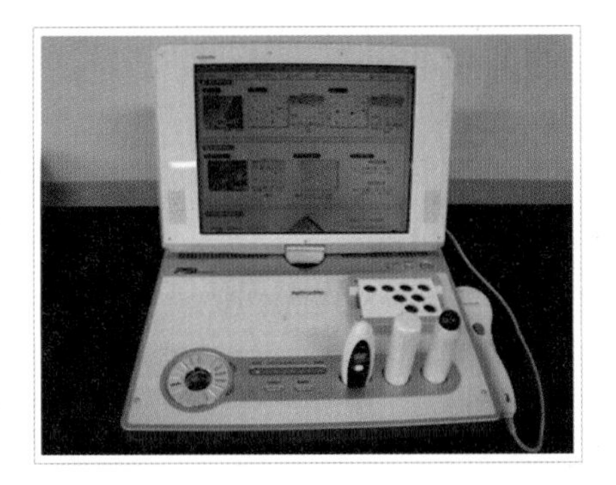

(4) 유분측정기- 표피의 유분 함유량 측정을 한다

(5) 수분측정기- 표피의 수분량을 측정한다.

(6) 스킨스코프

피부의 상태를 50-800 가량 확대하여 비교, 분석하는 측정기기이다. 정확하게 촬영된 상태를 모니터를 통하여 관찰할 수 있으며, 필요한 영상을 프린터를 통하여 출력할 수 있다. 피부뿐만 아니라 두피와 모발의 분석도 가능하다.

(7) 터모그래피

피하지방의 상태와 부종, 지방, 셀룰라이트 등의 변화를 영상자료로 측정할 수 있는 기기이다. 신체의 온도를 여러 가지 색상으로 나타내는 방법이다. 특히 미세순환계의 미세한 변화, 즉 피부온도의 변화를 측정하므로 셀룰라이트 초기단계에서 측정이 가능하다.

(8) 체지방측정기기

임피던스(생체전기 정항법)을 이용한 체지방 측정기는 캘리퍼나 근적외선 측정등의 다른 측적기보다 훨씬 정확하게 체지방측정이 가능하다.

(9) 족저경 : 발의 문제점을 분석할 수 있는 기기이다.

2) 안면관리를 위한 기기

(1) 전동 브러쉬(프리마톨, frimator)

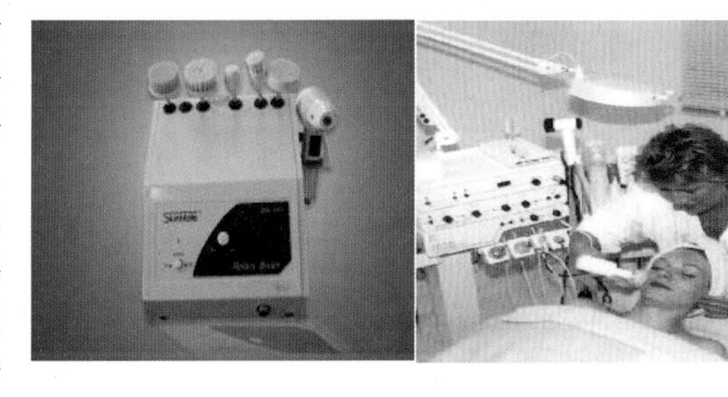

브러시(brush)가 부착된 전동브러시를 사용하면 물리적 세척효과를 증진시키게 된다. 안면피부에 자극이 적은 부드러운 천연모를 재료로 전동기의 회전원리를 이용하여 모공의 피지와 불필요한 각질제거를 위한 세안전용기기로서 주로 딥클렌징 효과가 있다. 그 외에 부수적으로 필링, 매뉴얼 테크닉의 효과도 있다.

피부질환, 상처, 예민피부, 최근 수술 부위에는 사용하지 않는다.

(2) 진공흡입 기기(버큠석션기, 패터기)

피부표면을 벤토즈를 이용하여 진공상태로 만들어 세포와 조직에 적절한 압력을 가하여 세포활동을 촉진시켜 대사과정 개선과 해당부위의 세포간 조직간에 정체된 노폐물을 효과적으로 배출시키는데 도움을 준다.

각질 및 노폐물제거, 모낭 청결의 효과가 있으며 피부에 적절한 자극을 주어 혈액 순환 촉진, 림프 순환 촉진, 신진대사를 높인다. 피부 탄력 증진, 셀룰라이트 개선, 체지방 감소에도 도움이 된다.

비적용증으로는 다음과 같다. 예민피부, 모세혈관 확장증, 정맥류, 멍든 피부, 혈전증이 있는 자는 부적합하며, 성형이나 보톡스 및 콜라겐주입 또는 박피 후 얼마 되지 않은 피부는 사용을 금한다.

(3) 스티머(steamer-베이퍼라이저vapor izer)

관리현장에서 가장 많이 사용되는 기기 중의 하나로서 물통의 물이 센서에 의해 가열되어 증기를 안면에 발생시킴으로서 각화된 각질세포를 연화시켜 노화각질제거에 도움을 주고 피부이완, 물질침투 효과를 증진시켜주는 관리기기이다. 노폐물 배출, 보습효과, 혈액순환 및 신진대사를 촉진시킨다. 증기 공급형과 증기 및 오존을 함께 공급할 수 있는 는 베이퍼라이존 있다.

피부감염, 모세혈관 확장피부, 상처, 일공에 손상된 피부, 천식환자에게는 사용이 부적합하며, 피부상태에 따라 거리와 적용시간을 달리해서 관리해야 한다.

(4) 분무기(스프레이, 루카스)

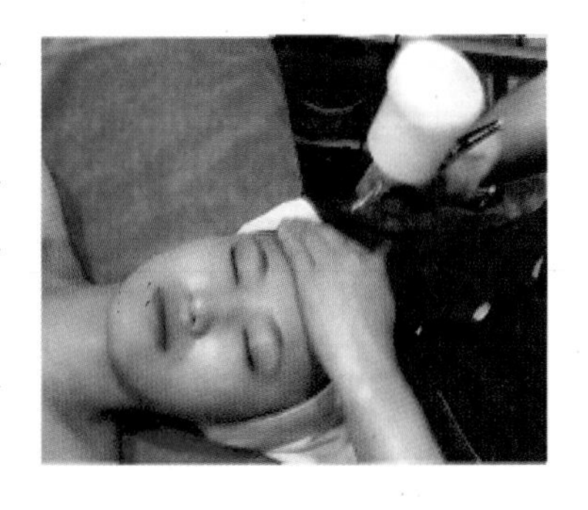

냉온증류수, 미네랄워터, 스킨로션, 아스트린젠트, 식물추출물, 허브티 등을 용기에 담아 안면을 향해 안개와 같은 작은 물방울이 자극 없이 분무되는 기기이다. 화장수들의 분무에 적절하며 세포와 신진대사촉진에 좋다. 트리트먼트의 마무리 관리 때 피부의 진정효과에 효과적 이다. 또한 피부의 산성막 생성을 촉진하며 화장품의 종류에 따라 감염 예방 및 살균효과도 있다.
피부질환, 화농부위, 피부상처, 정맥류등이 있는 사람에게는 부적합하다.

(5) 갈바닉기기

- 갈바닉전류를 이용하여 피부 속으로 유효성분을 침투시켜 수용액을 넣어주는 이온토포레시스(이온영동법)과 알칼리성분으로 피부 표면의 피지와 각질제거 및 노폐물 배출등의 딥클렌징 효과를 주는 디스인크러스테이션 방법이 있다.

- 극의 효과

양극	음극
산성반응	알칼리성 반응
신경안정	신경자극 및 활성화
혈액공급을 감소시킴	혈액공급을 증가
피부조직을 강하게 함	피부조직을 부드럽게 함
진정효과	자극효과
통증감소	통증유발
혈관, 모공, 한선 수축	혈관, 모공, 한선 확장
양이온 물질 침투에 사용	음이온 물질 침투에 사용
수렴작용	모공세정 효과

- 비적용증

열성질환, 전염성 피부질환, 염증성 피부질환, 심장병, 고/저혈압, 당뇨병, 간질병, 수술 직후 환자, 인공심장 박동기 착용자 나 몸속에 금속류를 이식한 자는 사용이 부적합 하다.
임산부와 신경증환자로 전기충격에 약한자는 금지한다.
과민성, 모세혈관 확장, 상처부위 피부 또한 적용하지 않는다.

(6) 리프팅기기

효과 - 약한 전류로 근수축 효과를 나타내고, 노화현상을 완화시키기 위하여 제작되었으며, 사용되는 전류와 전극봉의 종류는 매우 다양하다. 리프트(lift)라는 들어 올리다라는 뜻의 단어에서 유래한 기기 명칭에서도 알 수 있듯이 피부근육의 탄력회복에 도움을 주게 된다.

전류와 전극봉의 종류

- 사용되는 전류의 종류를 보면, 직류전류 중 연속직류의 이온도입 원리와 단속직류의 전기근육자극 원리를 이용하기도 한다. 또한 교류 전류 중 간섭전류에 의한 역학적 효과를 이용하거나, 초음파에 의한 리프팅기기도 있다.
  전극봉의 종류도 다양하여, 핀셋 형, 막대 형, 롤러 형, 고무장갑 형, 마스크 형, 작은 칩형, 사각이나 원형의 고무형 등의 다양한 전극 봉을 이용하며, 안면뿐 아니라 전신용 리프팅 기기도 있다.

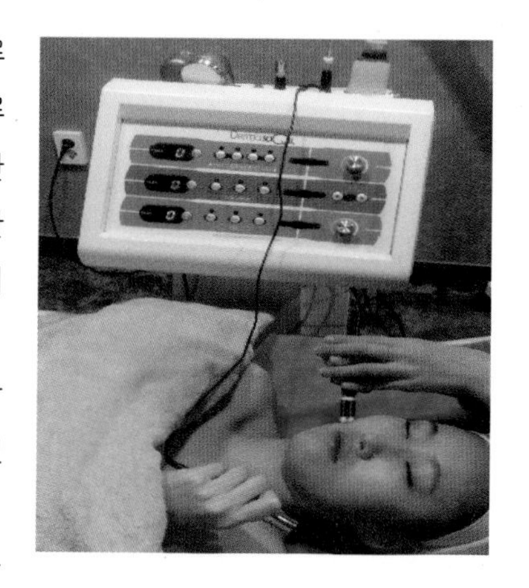

비적용증 - 임산부, 피부질환자, 실리콘 및 치아보철기 착용자, 인공심장기, 신장기 착용자등에 부적합하다.

(7) 고주파 (high frequency current)기기

원리 - 100,000Hz이상의 전류인 고주파의 전극은 유리와 금속으로 되어있으며 모양도 다양하다. 전류가 유리전극을 통과할 때 유리관 속에 들어있는 가스의 종류에 따라 다양한색을 나타내는데 유리관이 네온가스를 포함하고 있으면 오렌지색, 아르곤가스를 포함하고 있으면 보랏빛을 발한다.

방법 - ①직접법: 전극을 관리사가 쥐고 사용하는 것으로 안면 트리트먼트시 크림이나 거즈위에 사용한다. 살균작용(지성피부나 여드름피부) 진정작용

②간접법: 전극을 손님이 쥐고 관리사가 고객의 얼굴에 크림을 바르고, 직접 손으로 관리한다. 노화피부에도 적당하며, 피부연화와 영양분 공급 등의 효과가 있다.

★ 현재 대부분의 사업현장에서는 RF 고주파방식을 사용한다.

효과

- 혈액순환을 왕성하게 하고 신진대사를 활발하게 한다. 내분비선계통의

활동을 증가시킨다. 살균작용을 한다. 제품 침투를 용이하게 한다. 근육조직 내에서 열을 발생한다. 방전에 의해 발생되는 오존의 작용으로 표백과 살균작용이 일어나 여드름에 유효하다.

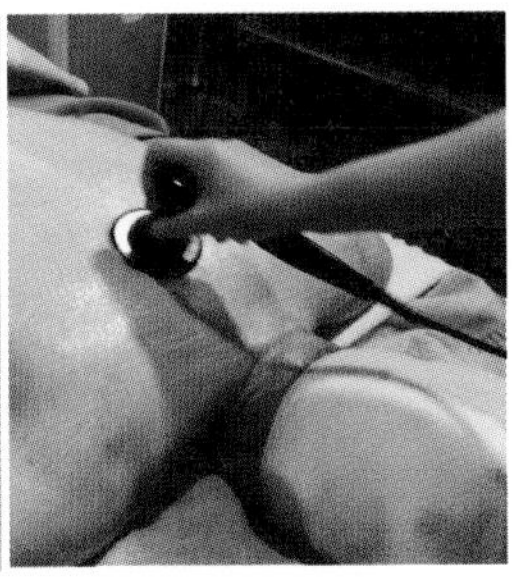

피부염, 찰과상, 혈전증, 혈관 이상, 다모 부위, 동맥경화, 고혈압, 저혈압, 임산부, 금속류 부착자에게는 사용이 부적합하다.

(8) 초음파

진동주파수가 20,000Hz 이상의 매우높은 인간의귀로는 들을 수 없는 진동 초음파를 이용한 미용기기이다.

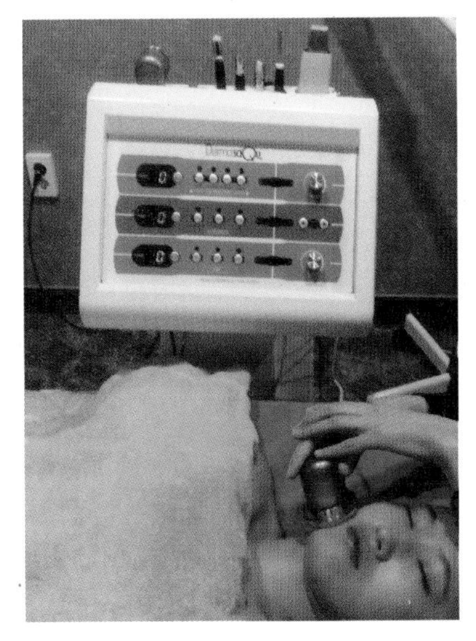

- 효과

① 온열 효과 - 혈액 및 림프순환증가 , 교원조직의 탄력성변화 및 조직의 이완, 신진대사 활발

② 화학적 효과 - 섬유아세포의 활성화, 콜라겐과 엘라스틴의 생성촉진, 세포의 DNA 합성촉진 및 피부재생 효과 증진

③ 물리적 효과- 연결조직의 유연성과 세정작용효과 피부탄력증가

④ 지방분해 효과

⑤ 화장품의 피부침투 효과

비적용증으로는 모세혈관 확장피부, 염증성 여드름피부, 알레르기성 민감성피부, 일광이나 화상으로 자극된 피부, 담마진 같은 피부질환 등이 있다.

(9) 냉, 온 마사지기기

기기본체와 로드로 구성되어 있고 로드 단면은 완만한 곡선으로 부드럽게 이동할 수 있다. 고드는 3가지 다른 방법으로 사용가능하며, 온법은 피부의 혈액순환을 돕기 위해 마사지 전에 사용하고, 냉법은 피부관리의 마지막에 진정을 위해 적용하며, 냉온법은 피부관리 중간에 관리의 효과를 증진시키는데 사용한다.
인공 심장 박동기 착용자, 임산부, 수술 받은 암 환자에게는 사용이 부적합하다.

(10) 파라핀 왁스기

안면관리용 파라핀왁스를 기기에 넣어 녹인후에, 앰플이나 로션을 도포하고 아이패드와 거즈을 깔아준다. 온도 확인 후 브러시로 녹인 파라핀을 3-5겹으로 바르고 유지한다. 보습 및 혈액순환 촉진, 영양분 침투에 용이하며, 건성과 노화 피부에 탁월한 효과가 있다.

순환계 질환, 피부발진, 화상, 사마귀가 있는 자는 사용을 금한다.

3) 전신 피부관리를 위한 기기

(1) 진공흡입기(바큠 석션) - 전신용

림프흐름 촉진으로 노폐물 제거 및 부종 완화, 지방제거 및 셀룰라이트 분해효과, 경직된 근육 완화 및 피지제거의 효과가 있다. 오일 도포 후 컵 안 의 피부가 10 ~ 20% 정도 흡입되게 하여 림프절 가까이로 이동한다. 모세혈관 확장피부, 민감성, 탄력이 많이 떨어진 피부, 정맥류, 찰과상이 있는 자는 사용이 부적합하다.

(2) 엔더몰로지 기기

셀룰라이트 관리와 국소부위의 크기 감소효과가 있는 엔더몰로지기기는 진공펌프에서 나오는 음압이 볼과 롤러를 통해 피부의 결합조직에 인위적 물리자극을 줌으로써 조직이 변화하여 셀룰라이트와 지방을 효과적으로 파괴한다.
심한 혈액순환 장애자, 정맥류, 고혈압, 외상, 세균 감염부위, 혈전증, 임산부, 피부자극을 받은 상태에서는 사용을 금한다.

(3) 프레셔테라피

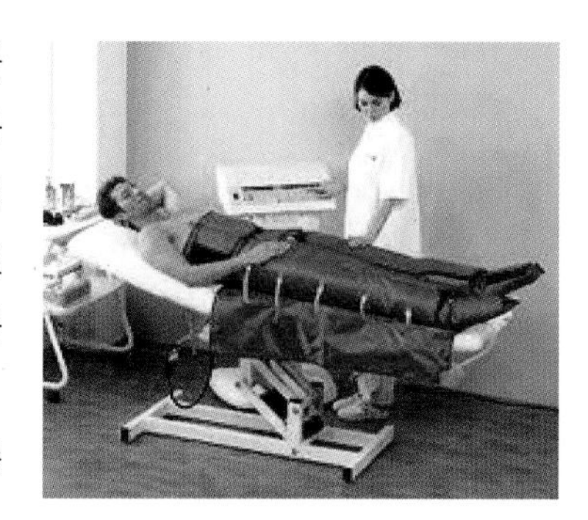

압박요법이라고도 하며, 공기압을 이용하여 조직에 정체된 체액을 제거하고 정맥과 림프의 순환을 개선하는 요법이다. 말초혈관으로부터 심장으로 혈액순환을 촉진하므로 체액순환을 개선시킨다. 근육통 완화와 운동효과도 있다.

정맥염과 혈전증, 울혈성 궤양, 악성 종양, 심장기능부전등의 사람에게는 금한다.

(4) 바이브레이터기

방향성 마사지 법으로 원을 그리며 작동하여 기계적인 마사지를 하게 된다. 헤드의 종류에 따라 효과가 다양하므로 관리목적에 맞게 헤드를 선택하여 적용한다.

근육이완, 근육통해소, 지방분해 및 혈액순환 촉진 및 신진대사증지, 노폐물 배출 및 산소와 영양 대사촉진의 효과가 있다.

타박상, 찰과상, 모세 혈관 확장증, 임산부, 민감성피부, 최근 수술부위, 감염성질환, 상처나 흉터가 있는 경우는 사용하지 않는다.

(5) 스파테라피기기

물의 다양한 성질을 이용하여 건강의 증진과 피부미용적 효과를 증진시킨다.

욕조의 바닥과 벽면에서 고압의 공기를 분사시켜 신체의 여러 부위를 자극하는 수압마사지 욕조나 스파장비에서 물줄기가 뿜어 나오는 비쉬샤워 등이 있다.

(6) 저주파기기

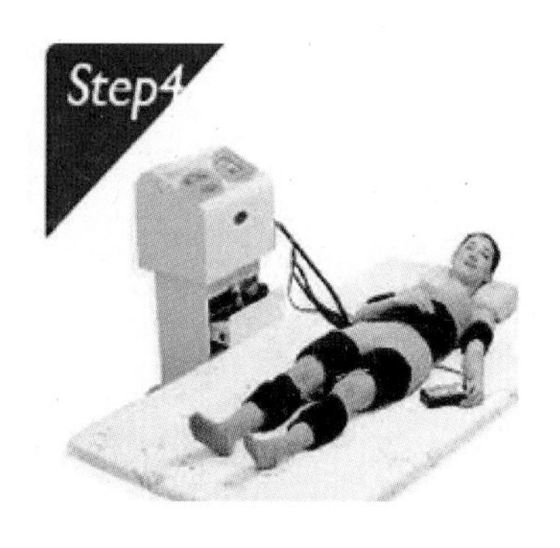

저주파전류를 근육에 전기자극을 가하여 근육을 운동시켜 지방을 에너지로 생성, 발산하게 하는 원리를 이용한 것이다.

수축과 이완을 통해 에너지를 발산하게 되며 조직의 체액과 노폐물의 순환을 도와 불필요한 노폐물을 배출시킨다.

체내 금속부착자, 임산부, 심장 및 신장질환자, 자궁근종 및 물혹, 고혈압 및 저혈압, 출산 후, 생리 중, 모유수유, 당뇨, 간질, 모세혈관확장, 근육계 손상이 있는 자는 사용을 금한다.

(7) 중주파기

1,000 ~ 10,000Hz 의 전류를 이용하며 특히 4,000Hz에서 피부의 자극 없이 피부조직 깊이 관리가 가능하며, 부드러운 자극으로 넓은 부위의 심부까지 관리가 가능하다. 피부 통증이 저주파에 비해 현저하게 적다는 장점이 있으며, 비만, 체형관리, 슬리밍 관리에 활용되며, 근육탄력, 지방분해, 림프 및 혈액순환촉진, 부종관리, 신진대사 활성화의 효과가 있다.

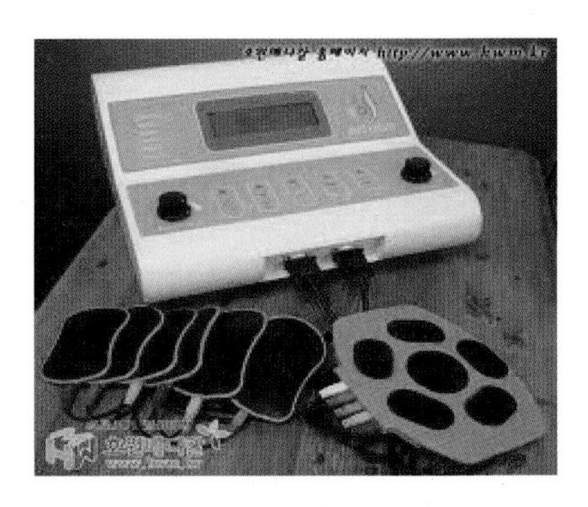

(8) 고주파기(고주파 심부열 발생기)

현장에서 주로 쓰이는 전신관리용 고주파기는 테슬러전류와 유리봉을 사용하는 안면관리용 고주파보다는 RF전류(Radio Frequency)와 도자 및 플레이트를 이용한 고주파 심부열 발생기이다.

인체는 고주파 전류의 자극을 느끼지 못하나 RF전류를 인체에 가하면 생체 세포내에서 양이온과 음이온이 밀고 당기는 분극운동을 하게 되며 이때 세포조직 내에서는 RF전류에 의한 주울(Joul)열이 발생하게 된다. 이를 심부열 이라고 한다.

양극인 절연 코팅된 도자(Electrode) 와 접지인 통전판(Plate)을 몸에 접촉시키는 방식으로 피부조직에 가까운 진피층과 피하지방 관리에 효과적 이며, 주름, 튼살과 같은 피부관리 및 심부열로 인한 지방 분해의 활성화도 기대할 수 있다.

(9) 각탕기

발 미용관리 전에 각탕기 사용은 피부 노폐물과 세균을 제거하는 세정효과, 신진대사 촉진효과, 근육 이완효과가 있다.

4) 광선관리기기

(1) 적외선미용기기

적색의 불가시광선으로 파장이 650 ~ 1400㎛이다. 열선이라고 하며 온열 자극을 주어 신경과 근육을 이완시켜주며 인체에 유익한 열이다.

- 적외선 램프

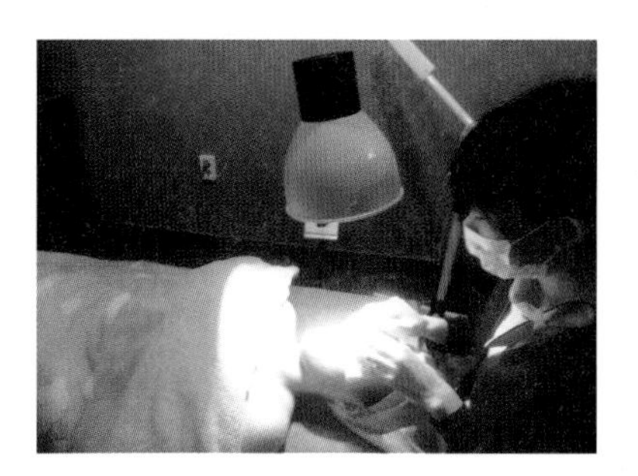

이러한 적외선을 이용한 미용기기로서 효과는 혈관을 팽창시켜 혈액순환을 촉진하고 근육통을 덜어준다. 신진대사촉진 및 피부세포내의 화학적인 변화를 증가시킨다. 제품이 피부에 효과적으로 투입되도록 도와주며 피부를 유연하게 해주며, 팩을 건조시킬 때 사용하기도 한다.
출혈위험 부위, 고열병, 심부종양, 악성 종양, 신장염이 있는 자는 사용 부적합하다.

- 적외선 램프

적외선 침투로 땀과 함께 노폐물을 제거한다.

(2) 자외선 미용기기

- 자외선의 분류

① UVA 장파장(320~400nm) : 피부 깊숙하게 침투하여 주름을 형성시키며 색소침착(suntan)을 유도한다. 인공 태닝기기에 사용되는 광선이다.

② UVB 중파장(280~320nm) : 기미와 피부건조의 원인이 된다. 피부가 붉어지거나 붓거나 물집이 생기는(sun burn) 등의 결과를 낳는다. 일광화상을 일으키기도 한다.

③ UVC 단파장(280nm 이하) : 가장 강한 자외선이다. 살균효과와 함께 피부암 유발하는 유해한 광선이기도 하다. 자외선 소독에 이용한다.

- 인공 선탠기

일반적 선탠은 자연 태양광선을 조사받아 나타나지만 피부 미용적으로 적당한 피부색을 갖기 위하여 인공적 자외선 발생기에 의해 색소를 만들어주는 기기를 인공 선탠기라고 한다.

선탠기의 자외선은 주로 UVA만을 방출 하도록 설계 되어 있다.

- 살균 소독기

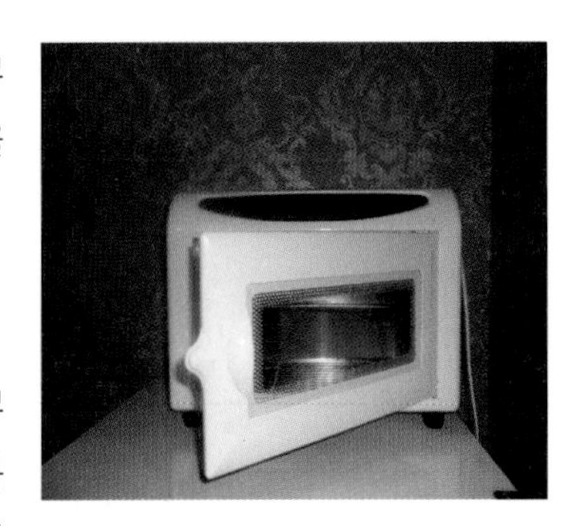

UVC의 강한 살균 효과를 이용하여 피부 미용실에서 여러 가지 기구의 살균 소독을 목적으로 사용되는 자외선 소독기이다.

- 기타

자외선 피부 분석기(우드램프) 같은 피부 미용 목적외 건선, 좌창 및 원형탈모증과 같은 피부질환과 동상 등 피부 순환 장애에 이용되는 의료용 자외선치료기와 각종 검사장비에도 이용된다.

(3) 컬러테라피기기

- 원리

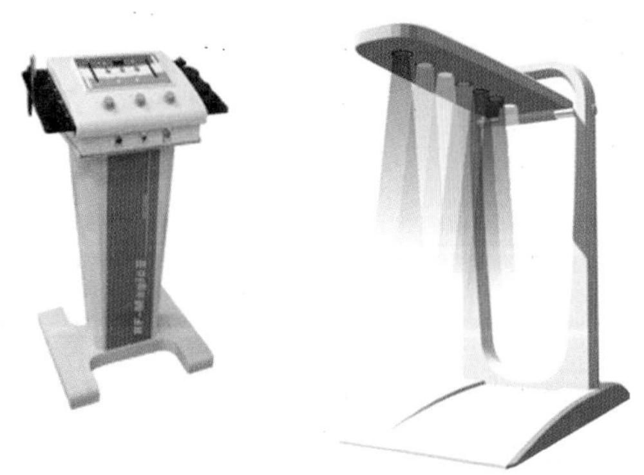

인체에 빛의 파장이 미치는 영향을 심리치료 및 병이나 치료에 까지 널리 응용하고 있다.

그 중에서 미용에서 사용하는 색채요법. 즉 크로마 테라피는 색의 스펙트럼을 통해 빛의 파장으로 관리 또는 치료하는 요법을 말한다. 미용 의학적 컬러테라피의 범위는 셀룰라이트, 여드름, 정맥류, 모세혈관 확장증, 임신선, 지성피부, 건성피부 등에 널리 응용되고 있다. 부작용이 없고 세균 및 바이러스에 대한 감염의 우려가 없는 안전한 방법이 장점이다.

- 광 알레르기 피부, 성형 수술 후, 피부염, 습진, 단순표진, 고열, 악성 종양, 심장이나 신장질환자는 사용이 부적합하다.

- 컬러의 종류와 효과
  ① 빨간색 6.000 ~ 6,700Å 세포를 자극하고 혈액순환을 촉진하여 에너지를 활성화 시켜준다. 세포 활성화로 여드름피부와 셀룰라이트 조직을 관리하는데 사용된다.

  ② 주황색 5,900 ~ 6,000Å 세포재생과 신체기능을 정상화 시켜주는 효과를 준다. 신경의 긴장을 완화 시켜주고 호르몬의 대사를 조화롭게 조절한다. 튼살 피부, 주름, 조기 노화피부, 피부 트러블에 사용된다.

  ③ 노란색 5,800 ~ 5,900Å 신경과 근육계의 안정을 주는 효과가 있다. 콜라겐과 엘라스틴 증가에 도움을 준다. 슬리밍. 튼살 피부. 조기 노화피부. 수술 후 회복에 효과적이다

  ④ 녹색 5,000 ~ 5,500Å 신경계를 안정시키는 효과를 준다. 심리적인 요인에 의한 비만 증세, 여드름 등에 효과적이다.

  ⑤ 파란색 4,700 ~ 5,000Å 해독작용 및 진정효과가 있어 염증과 열을 진정시킨다. 민감성 여드름, 모세혈관확장에 사용된다.

  ⑥ 보라색 4,300 ~ 4,600Å 백혈구의 작용을 촉진하여 면역과 림프계를 강화한다. 체액대사의 평형을 조절 해주며, 림프계와 관계된 상처부위 세포재생과 면역력을 높이며, 셀룰라이트 관리에도 사용된다.

(4) 온장고
습포를 따뜻하게 보관한다.

피부미용사 기출문제 - 미용기기학

2010년

35. 피부에 미치는 갈바닉 전류의 양극(+)의 효과는?
   가. 피부진정　　　나. 모공세정
   다. 혈관확장　　　라. 피부유연화

36. 테슬라 전류(Tesla current)가 사용되는 기기는?
   가. 갈바닉(The Galvanic Machine)
   나. 전기분무기
   다. 고주파기기
   라. 스팀기(The vapor izer)

37. 스티머 사용 시 주의사항이 아닌 것은?
   가. 피부에 따라 적정 시간을 다르게 한다.
   나. 스팀 분사방향은 코를 향하도록 한다.
   다. 스티머 물통에 물을 2/3정도 적당량 넣는다.
   라. 물통을 일반세제로 씻는 것은 고장의 원인이 될 수 있으므로 사용을 금한다.

38. 지성피부의 면포추출에 사용하기 가장 적합한 기기는?
   가. 분무기　　　나. 전동브러쉬
   다. 리프팅기　　　라. 진공흡입기

39. 피부를 분석할 때 사용하는 기기로 짝지어진 것은?
   가. 진공흡입기, 패터기　　　나. 고주파기, 초음파기
   다. 우드램프, 확대경　　　라. 분무기, 스티머

2009년

35. 이온에 대한 설명으로 틀린 것은?
   가. 원자가 전자를 얻거나 잃으면 전하를 띠게 되는데 이온은 이 전

하를 띤 입자를 말한다.

나. 같은 전하의 이온은 끌어당긴다.

다. 중성인 원자가 전자를 얻으면 음이온이라 불리는 음전하를 띤 이온이 된다.

라. 이온은 원소 기호의 오른쪽에 위에 잃거나 얻은 전자수를 + 또는 - 부호를 붙여 나타낸다.

36. 브러시 (brush, 프리마톨) 사용법으로 옳지 않은 것은?

가. 회전하는 브러시를 피부와 45도 각도로 하여 사용한다.

나. 피부상태에 따라 브러시의 회전 속도를 조절한다.

다. 화농성 여드름 피부와 모세혈관 확장 피부 등은 사용을 피하는 것이 좋다.

라. 브러시 사용 후 중성세제로 세척한다.

37. 스티머(steamer) 기기의 사용방법으로 적합하지 않은 것은?

가. 증기 분출 전에 분사구를 고객의 얼굴로 향하도록 미리 준비해 놓는다.

나. 일반적으로 얼굴과 분사구와의 거리는 30~40cm 정도로 하고 민감성 피부의 경우 거리를 좀 더 멀게 위치한다.

다. 유리병 속에 세제나 오일이 들어가지 않도록 한다.

라. 수분 없이 오존만을 쐬여주지 않도록 한다.

38. 수분측정기로 표피의 수분함유량을 측정하고자 할 때 고려해야 하는 내용이 아닌 것은?

가. 온도는 20 ~ 22C에서 측정하여야 한다.

나. 직사광선이나 직접조명 아래에서 측정한다.

다. 운동 직후에는 휴식을 취한 후 측정하도록 한다.

라. 습도는 40 ~ 60% 가 적당하다.

39. 디스인크러스테이션(Disincrustation) 에 대한 설명 중 틀린 것은?

가. 화학적인 전기분해에 기초를 두고 있으며 직류가 식염수를 통과할 때 발생하는 화학작용을 이용한다.

나. 모공에 있는 피지를 분해하는 작용을 한다.

다. 지성과 여드름 피부 관리에 적합하게 사용될 수 있다.

라. 양극봉은 활동 전극봉이며 박리관리를 위하여 안면에 사용된다.

40. 눈으로 판별하기 어려운 피부의 심층 상태 및 문제점을 명확하게 분별할 수 있는 특수 자외선을 이용한 기기는?
가. 확대경 나. 홍반측정기 다. 적외선램프 라. 우드램프

2008년

35. 스티머 활용시의 주의사항과 가장 거리가 먼 것은?
가. 오존을 사용하지 않는 스티머를 사용하는 경우는 아이패드를 하지 않아도 된다.
나. 스팀이 나오기 전 오존을 켜서 준비한다.
다. 상처가 있거나 일광에 손상된 피부에는 사용을 제한하는 것이 좋다.
라. 피부타입에 따라 스티머의 시간을 조정한다.

36. 적외선등에 대한 설명으로 옳은 것은?
가. 주로 UVA를 방출하고 UVB, UVC는 흡수한다.
나. 색소침착을 일으킨다.
다. 주로 소독, 멸균의 효과가 있다.
라. 온열작용을 통해 화장품의 흡수를 도와준다.

37. 다음 중 열을 이용한 기기가 아닌 것은?
가. 진공흡입기 나. 스티머
다. 파라핀 왁스기 라. 왁스워머

38. 브러싱에 관한 설명으로 틀린 것은?
가. 모세혈관 확장피부는 석고 재질의 브러싱이 권장 된다
나. 건성 및 민감성 피부의 경우는 회전속도를 느리게 해서 사용하는 것이 좋다
다. 농포성 여드름 피부에는 사용하지 않아야 한다
라. 브러싱은 피부에 부드러운 마찰을 주므로 혈액순환을 촉진시키는 효과가 있다

39. 전기에 대한 설명으로 틀린 것은?

가. 전류란 전도체를 따라 움직이는 (-)전하를 지닌 전자의 흐름이다.

나. 도체란 전류가 쉽게 흐르는 물질을 말한다.

다. 전류의 크기의 단위는 볼트이다.

라. 전류에는 직류와 교류가 있다.

40. 우드램프로 피부상태를 판단할 때 지성피부는 어떤 색으로 나타나는가?

가. 푸른색　　나. 흰색

다. 오렌지　　라. 진보라

4. 피부의 이해

4.1 피부 유형과 진단 방법

1) 피부 유형

① 중성피부(Normal Skin, 정상 피부)

- 피지선과 한선의 기능이 정상인 가장 이상적인 피부
- 피부 표면이 매끄럽고 부드럽다.
- 모공이 섬세하고 탄력성이 좋다.
- 세안 후 당기거나 번들거리지 않는다.
- 화장이 잘 지워지지 않고 색소 침착 현상이 없다.
- 피부조직이 정상적인 상태에서 단단하며 전반적으로 주름이 없다.
- 피부색이 분홍빛이며, 모세혈관 내의 혈액이 표피를 통하여 깨끗하게 보인다.

② 건성피부(Dry Skin)

원인에 따라 일반 건성피부, 표피 수분부족 피부, 진피 수분부족 피부로 구분된다.

ⓐ 일반 건성 피부

- 피지선의 기능 저하와 한선 및 보습능력의 저하에 기인하며 유분함량과 수분함량이 부족한 피부를 말한다.
- 원인 : 유분이 많이 함유된 크림을 장기간 과다하게 사용했을 경우,
안드로겐 호르몬 분비 부족
- 특징 : 피부 표면이 항상 건조하고 윤기가 없다.
세안 후 피부가 심하게 당긴다.
화장이 매끄럽지 못하다.(잘 뜬다.)
모공이 작다.
잔주름이 쉽게 생긴다.

ⓑ 표피 건성 피부

- 원인 : 자외선, 찬바람, 일광욕, 냉난방 등의 환경요인, 부적절한 피부 관리와 화장품.
- 특징 : 표정원인성 주름이 쉽게 나타나지 않는다.
피부조직에 가는 주름이 형성

ⓒ 진피 건성 피부

● 일반적으로 일어나는 자연적 노화현상의 한 형태라고 볼 수 있으나 자연적 노화현상에 못지않게 20대의 젊은 나이에도 섬유아세포의 콜라겐 섬유조직이 손상되면 노화피부와 같이 진피 수분부족 피부가 될 수 있다.

● 원인 : 과도한 자외선, 공해에 의한 진피조직 손상, 과도한 다이어트, 섬유아세포 활동 쇠약, 표피 수분 부족 피부가 장기간 방치된 경우

● 특징 : 피부 당김이 내부에서부터 심하게 느껴진다.
눈 밑, 입가, 뺨, 턱 부위에 늘어짐이 심하다.
굵은 주름살이 형성된다.
피부조직이 거칠고 생명력이 없어 보인다.

③ 지성피부 (Oily Skin)

피지선에서 분비된 피지가 피부 표면을 덮고 있으며, 이 피지는 적당한 보호막을 형성하여 약산성 pH를 유지하고 미생물 침입 방지 및 수분 증발을 억제시켜 주는데 이 과정에서 비정상적으로 항진되어 피지가 과다 분비되는 피부를 말한다.

ⓐ 유성 지루피부

● 과잉 분비된 피부가 피부 표면에 기름기를 만들어 항상 번들거리는 피부형태

● 외부에 대한 저항력이 강하고 예민하지 않다.

● 색소 침착 현상이 빠르며 면포, 여드름 발진 현상을 일으킬 수 있다.

ⓑ 건성 지루피부

● 피지 분비기능의 상승으로 피지는 과다 분비되어 표피에 기름기가 흐르나 보습기능이 저하되어 피부 표면의 당김 현상이 일어나는 피부 유형이다.

● 피부 표면이 건조하고 각질이 일어난다.

● 유성 지루성 피부에 비해 예민하고 자극받기 쉬워 쉽게 붉어진다.

● 저항력이 약해 여드름 발생의 위험성이 크다.

● 눈가에 잔주름이 쉽게 생긴다.

④ 복합성 피부(Combination Skin)

- 부위에 따라 상반되거나 전혀 다른 피부 유형이 공존
- T존을 제외한 부위에 세안 후 심하게 당기는 느낌을 받는다.
- T존 부위에 모공ㅇ디 특히 크며 기름기가 많고 면포 등 여드름이 발생하기 쉽다.
- 피부 조직이 전체적으로 일정하지 않다.
- 눈가에 잔주름이 쉽게 생긴다.

⑤ 여드름 피부

여드름이란 피지와 균, 각질이 면포를 만드는 과정에서 유발되는 염증으로, 주변 콜라겐이 파괴되어 흉터를 유발하는 질환이다.

ⓐ 면포성 여드름

- 폐쇄면포(화이트 헤드) : 피지 본래 색인 흰색을 띄고 있는 면포
- 개방면포(흑 면포) : 열려진 모낭의 입구 밖으로 피지의 끝 부분이 노출되어 검게 착색된 면포

ⓑ 구진성 여드름

- 모낭 내에 축적된 피지가 세균에 감염되어 빨갛게 부풀어 오른 발진

ⓒ 농포성 여드름

- 붉은 구진성 여드름이 악화되어 누런 여드름 응어리가 피부에 붉은 색으로 쌓인 노란색 고름이 생긴다.

피부 타입	피지 분비도	모공 크기	피부의 섬세도	각질층 두께	수분 증발	노화
지성	과잉	크다	거칠다	두껍다	억제	노화 억제
중성	정상	정상	정상	정상	정상	정상
건성	과소	작다	섬세	얇다	원활	빠른 노화

피부미용사 기출문제 - 피부유형

2010년

9. 건성 피부의 특징과 가장 거리가 먼 것은?
   가. 각질층의 수분이 50% 이하로 부족하다.
   나. 피부가 손상되기 쉬우며 주름 발생이 쉽다.
   다. 피부가 얇고 외관으로 피부결이 섬세해 보인다.
   라. 모공이 작다.

2009년

1. 피부유형별 화장품 사용방법으로 적합하지 않은 것은?
   가. 민감성 피부 - 무색, 무취, 무취, 무알콜 화장품 사용
   나. 복합성 피부 - T존과 U존 부위별로 각각 다른 화장품사용
   다. 건성 피부 - 수분과 유분이 함유된 화장품 사용
   라. 모세혈관 확장 피부 - 일주일에 2번 정도 딥 클렌징제 사용

9. 건성피부(Dry skin)의 관리방법으로 틀린 것은?
   가. 알칼리성 비누를 이용하여 뜨거운 물로 자주 세안을 한다.
   나. 화장수는 알코올 함량이 적고 보습기능이 강화된 제품을 사용한다.
   다. 클렌징 제품은 부드러운 밀크 타입이나 유분기가 있는 크림타입을 선택하여 사용한다.
   라. 세라마이드, 호호바 오일, 아보카도 오일, 알로에베라, 히아루론산 등의 성분이 함유된 화장품을 사용한다.

19. 아토피성 피부에 관계되는 설명으로 옳지 않은 것은?
   가. 유전적 소인이 있다.
   나. 가을이나 겨울에 더 심해진다.
   다. 면직물의 의복을 착용하는 것이 좋다.
   라. 소아습진과는 관계가 없다.

20. 피지와 땀의 분비 저하로 유, 수분의 균형이 정상적이지 못하고, 피부결이 얇으며 탄력저하와 주름이 쉽게 형성되는 피부는?

가. 건성피부 나. 지성피부
다. 이상피부 라. 민감피부

21. 피부 색소를 퇴색시키며 기미, 주근깨 등의 치료에 주로 쓰이는 것은?

가. 비타민A 나. 비타민B
다. 비타민C 라. 비타민D

23. 여드름 발생의 주요 원인과 가장 거리가 먼 것은?

가. 아포크린 한선의 분비증가
나. 모낭 내 이상 각화
다. 여드름 균의 군락 형성
라. 염증반응

2008년

2. 피부 유형별 관리 방법으로 적합하지 않은 것은?

가. 복합성피부 - 유분이 많은 부위는 손을 이용한 관리를 행하여 모공을 막고 있는 피지 등의 노폐물이 쉽게 나올 수 있도록 한다.
나. 모세혈관 확장피부 - 세안시 세안제를 손에서 충분히 거품을 낸 후 미온수로 완전히 헹구어 내고 손을 이용한 관리를 부드럽게 진행 한다.
다. 노화피부 - 피부가 건조해 지지 않도록 수분과 영양을 공급하고 자외선 차단제를 바른다.
라. 색소침착 피부 - 자외선 차단제를 색소가 침착된 부위에 집중적으로 발라준다.

4. 홈 케어 관리시에 여드름 피부에 대한 조언으로 맞지 않는 것은?

가. 여드름 전용제품을 사용
나. 붉어지는 부위는 약간 진하게 파운데이션이나 파우더를 사용
다. 지나친 당분이나 지방섭취는 피함
라. 지나치게 얼굴이 당길 경우 수분크림, 에센스 사용

6. 피부유형과 화장품의 사용목적이 틀리게 연결된 것은?

가. 민감성피부 - 진정 및 쿨링 효과

나. 여드름피부 - 멜라닌 생성 억제 및 피부기능 활성화

다. 건성피부 - 피부에 유. 수분을 공급하여 보습기능 활성화

라. 노화피부 - 주름완화, 결체조직 강화, 새로운 세포의 형성촉진 및 피부보호

4.2 피부의 기능

피부의 기능에는 보호 작용, 감각 작용, 체온 조절 작용, 분비·흡수 작용, 각화 작용, 비타민D 합성 작용 등이 있다.

4.3 피부의 구조

피부는 표피(Epidermis), 진피(Dermis), 피하 조직(Subcutaneous fat tissue)으로 이루어져 있다. 표피는 표면에서부터 각질층, 투명층, 과립층, 유극층, 기저층으로 구성되어 있고, 진피는 상부의 유두층과 하부의 망상층으로 이루어져 있으며, 피하 조직은 체온 조절과 충격 흡수의 역할을 한다.

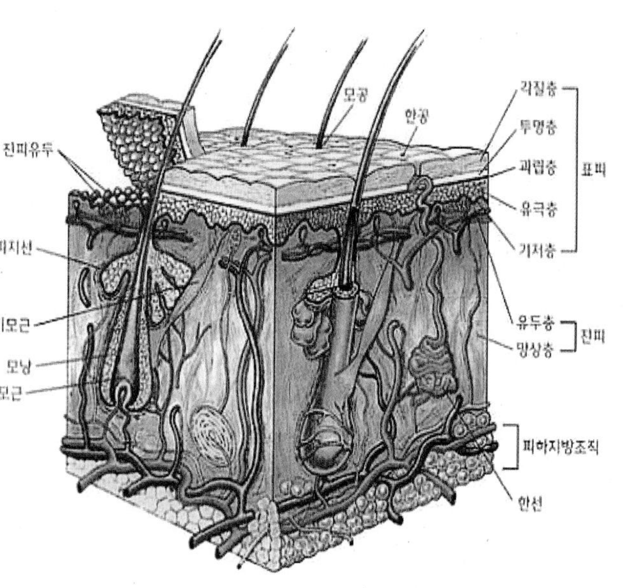

1) 표피(Epidermis)

피부의 가장 바깥층으로 피부 방어벽을 형성하며 무핵층과 유핵층으로 구분된다. 신체 내부를 보호하는 보호막 기능과 외부로부터 세균 등의 침입을 막아주는 역할을 한다. 표피의 두께는 눈꺼풀과 볼 부위가 비교적 얇고 손바닥, 발바닥(0.3~0.7mm) 등은 두껍다. 다른 부위는(0.1~0.3mm 정도이다. 모세혈관이나 신경은 존재하지 않는다. 표피는 각질층, 투명층, 과립층, 유극층, 기저층으로 5개의 층으로 이루어져 있으며 각 특징은 다음과 같다.

* 각질층

죽은 세포로 20 ~ 25층으로 구성되어 있으며 수분을 약 10~20% 함유하고 있다. 세포 안에는 케라틴이 가득 차 있으며, 각질층은 라멜라 구조로 각질층의 보습과 결합에 중요한 성분인 세라마이드 성분으로 구성되어 있다.

★ 투명층

각질층 바로 밑에 있는 무핵의 세포층으로, 2~3층으로 구성되어 있다. 외부로부터 수분 침투를 방지하는 역할을 하고, 투명층에는 엘라이딘이라는 반유동성 물질이 함유되어 자외선을 반사시키는 역할을 한다. 손바닥과 발바닥에만 분포되어 있는 층이다.

★ 과립층

손바닥이나 발바닥처럼 각질이 두꺼운 부위에서 10층에 이른다. 3~5층의 납작한 과립세포로 구성되어 있다. 케라틴 단백질이 뭉쳐 만들어진 케라토히알린이라는 각질효소 과립이 만들어져서 핵을 죽이므로 수분이 감소한다. 각질층 측면에서 각화과정의 마지막 단계이다. 30% 정도의 수분이 함유되어있다.

★ 유극층

5~10층으로 이루어진 표피층의 가장 두꺼운 층이다. 수분이 70% 함유되어있으며 면역기능을 담당하고 있는 랑게스한스 세포가 존재한다. 세포들은 다각형의 유핵 극상세포로 가시모양으로 서로 연결되어있어 가시층이라 부른다. 핵을 가지고 있는 유핵세포 이다.

★기저층

세포의 가장 아래층에 있는 어린 세포층이다. 각질층의 수분함량이 10~15%인데 비해 기저층 세포의 수분함량은 70 ~ 92%에 이른다. 기저층에 상처를 입으면 재생이 어렵고 흉터가 남게 된다. 기저층의 세포분열은 밤 10시~2시가 가장 활발하다. 이 시간대에 피부재생이 더 잘된다.

2) 진피

피부의 90% 이상을 차지하는 진피는 단백질섬유와 그물모양의 교원섬유(콜라겐, collagen), 탄력섬유(엘라스틴, elastin)로 이루어져 있다. 기질은 젤리와 같은 물질로 물과 결합하는 히아루론산, 콘드로이친 황산(끈적끈적한 점액성 물질)으로 되어있다.

① 진피에 있는 세포 종류

- 섬유아세포(fibroblast) : 진피의 구성성분(콜라겐, 엘라스틴, 기질)을 만들어내는 세포

- 비만세포(mast cell) : 히스타민 분비(염증반응 일으키는 물질)
- 대피세포(macrophage) : 면역을 담당하는 세포

② 진피를 구성하는 층

- 유두층(Papillary dermis)

물결모양과 돌출된 유두 모양으로 되어있어 피부가 잡아당겨질 때 늘어나는 역할을 하며 피부가 노화될수록 편평해진다. 그리고 모세혈관에 분포되어 있어서 표피의 기저층에 영양을 공급하며 촉각, 통각, 온각 등의 감각을 담당하는 신경말단이 풍부하게 분포되어 있다.

- 망상층(Reticular dermis)

그물망 구조이며, 혈관, 림프관, 신경, 땀샘(한선)이 복잡하게 얽혀있고 교원섬유와 탄력섬유가 있어 피부 탄력성 유지에 중요한 층이다.

③ 진피의 구성 성분

- 교원 섬유(collagen fiber)

콜라겐은 진피 성분의 90%를 차지하는 단백질로서 섬유아세포로부터 생성되며 진피에 인장강도를 주는 역할을 한다. 피부를 자외선으로부터 어느 정도 보호하고 피부의 주름을 예방하는 수분보유원이다. 콜라겐은 기계적 화학적 자극에 대한 방어 작용을 하며 젊은 피부가 노화피부에 비하여 잘 발달되어 있다. 재생이 잘 이루어지지 않으면 피부가 쭈글쭈글해지고 주름이 생기게 된다.

- 탄력섬유(Elastin fiber)

진피에 있는 성분 가운데 비교적 적은 부분을 차지하며 피부에 탱탱함과 탄력, 신축성을 부여하는데 25세 전후에 가장 발달하며 나이가 들수록 감소된다. 피부의 탄력을 결정짓는 중요한 요소로 탄력섬유의 손상은 주름의 원인이 되며 노화되면 피부의 탄력감이 떨어지고 영양이 결핍되어 위축된 피부가 된다.

- 기질물질(Ground substance)

진피의 결합섬유 사이를 채우고 있는 물질을 기질이라고 한다. 대부

분 산성점액다당류인 히아루론산(hyaluronic acid)과 콘드로이친황산(condroitin sulfate)으로 이루어져 있다. 이들은 친수성 다당체로 물에 녹아 끈적끈적한 액체 상태로 존재하기 때문에 점액성이라는 의미를 가진 뮤코(muco)라는 접두어를 붙여 뮤코다당체(mucopolysaccharide)라고 한다.

3) 피하지방층(subcutaneous fat)

진피와 근육, 뼈 사이에 위치하고 지방을 함유하고 있는 피부의 가장 아래층을 피하 지방층이라고 부른다. 그물 모양을 하고 있어 밀고 잡아당기는 성질을 지닌 느슨한 결합조직으로 이루어져 있다.

피부미용사 기출문제 - 피부학

2010년

23. 표피 중에서 피부로부터 수분이 증발하는 것을 막는 층은?
    가. 각질층　　　나. 기저층
    다. 과립층　　　라. 유극층

25. 에크린 한선에 대한 설명으로 틀린 것은?
    가. 실밥을 둥글게 한 것 같은 모양으로 진피 내에 존재한다.
    나. 사춘기 이후에 주로 발달한다.
    다. 특수한 부위를 제외한 거의 전신에 분포한다.
    라. 손바닥, 발바닥, 이마에 가장 많이 분포한다.

27. 피부에 계속적인 압박으로 생기는 각질층의 증식현상이며, 원추형의 국한성 비후증으로 경성과 연성이 있는 것은?
    가. 사마귀　　　나. 무좀
    다. 굳은살　　　라. 티눈

2009년

22. 성인의 경우 피부가 차지하는 비중은 체중의 약 몇 % 정도 인가?
    가. 5~7%　　　나. 15~17%
    다. 25~27%　　　라. 35~37%

25. 다음 중 표피층을 순서대로 나열한 것은?
    가. 각질층, 유극층, 투명층, 과립층, 기저층
    나. 각질층, 유극층, 망상층, 기저층, 과립층
    다. 각질층, 과립층, 유극층, 투명층, 기저층
    라. 각질층, 투명층, 과립층, 유극층, 기저층

2008년

20. 진피에 자리하고 있으며 통증이 동반되고, 여드름 피부의 4단계에서 생성되는 것으로 치료 후 흉터가 남는 것은?

가. 가피　　　　나. 농포
다. 면포　　　　라. 낭종

21. 피부의 주체를 이루는 층으로서 망상층과 유두층으로 구분되며 피부 조직 외에 부속기관인 혈관, 신경관, 림프관, 땀샘, 기름샘, 모발과 입모근을 포함하고 있는 곳은?

기. 표피　　　　나. 진피
다. 근육　　　　라. 피하조직

22.기미에 대한 설명으로 틀린 것은?

가. 피부 내에 멜라닌이 합성되지 않아 야기되는 것이다
나. 30~40대의 중년여성에게 잘 나타나고 재발이 잘 된다
다. 썬텐기에 의해서도 기미가 생길 수 있다
라. 경계가 명확한 갈색의 점으로 나타난다

24.멜라닌 세포가 주로 분포되어 있는 것은?

가. 투명층　　　　나. 과립층
다. 각질층　　　　라. 기저층

⌛ 정 답

〈 클렌징 〉

2010년 1-가 3-나 6-라 15-라
2009년 7-나
2008년 12-라 14-나 15-다 16-가 17-라

〈 습포 〉

2010년 8-다
2009년 10-다
2008년 8-라

〈 매뉴얼 테크닉 〉

2010년 13-나 16-나
2009년 4-다 15-나
2008년 1-라 12-라

〈 팩 〉

2010년 10-라 18-다 44-나
2009년 17-라
2008년 3-다 5-가 13-가

〈 피부미용 〉

2009년 6-라
2008년 7-나

〈 피부상담 〉

2010년 4-가 7-라
2009년 2-다
2008년 11-나 18-라

〈 미용기기학 〉

2010년 35-가 36-다 37-나 38-라 39-다
2009년 35-나 36-가 37-가 38-나 39-라 40-라
2008년 35-나 36-라 37-가 38-가 39-다 40-다

〈 피부유형 〉

2010년 9-가
2009년 1-라 9-가 19-라 20-가 21-다 23-가
2008년 2-라 4-나 6-나

〈 피부학 〉

2010년 23-다 25-나 27-라
2009년 22-나 25-라
2008년 20-라 21-나 22-가 24-라

참고문헌

2004년 경락에 의한 성형미용 / 최정윤 / 골드출판사

2009년 기초해부생리학/ 최정윤외 / 성화 출판사

2009년 공중보건학 / 최정윤외 / 성화 출판사

2009년 미용인을 위한 공중보건과 위생 / 최정윤외 / 성화 출판사

2008년 사람해부학 한국해부생리학교수협의회 / 정담미디어

2009년 소독 전염병학 / 최정윤외 / 성화출판사

2010년 피부미용사 국가기술자격시험 실기시험 완전정복-아름다운 우리

2007년 피부미용학 / 청구문화사

2008년 피부미용학 / 훈민사

2009년 피부미용사 / 성안당

2006년 피부미용실습서 / 채순님외 / 정담미디어

2008년 최신피부미용학 / 훈민사

■ 저 자 약 력 ■

최정윤 : 대원대학 뷰티스타일리스트과 교수

김서현 : 대원대학 뷰티스타일리스트과 겸임교수

- 저서 : 피부 관리사 자습서 I
  피부 관리사 자습서 II

국가 피부관리사 자습서

발 행 일 | 2011년 3월 1일
공 저 | 최정윤, 김서현
발 행 인 | 박승합
발 행 처 | 노드미디어
등 록 | 제 106-99-21699 (1998년 1월 21일)
주 소 | 서울특별시 용산구 갈월동 11-50
전 화 | 02-754-1867, 0992
팩 스 | 02-753-1867
홈페이지 | http://www.enodemedia.co.kr
http://gold.hompee.com/
I S B N | 978-89-8458-237-8-93590

정가 20,000원